Cymru ar Hyd ei Glannau

2000593008
NEATH PORT TALBOT LIBRARIES

Cymru ar Hyd ei Glannau

DEI TOMOS A JEREMY MOORE

Gomer

I Janice, Gwen ac Elin. *DT*

Cyflwynedig i bawb o fewn y mudiad gwyrdd sy'n gwneud y byd yn lle gwell. *JM*

Cyhoeddwyd yn 2012 gan
Wasg Gomer, Llandysul, Ceredigion SA44 4JL
www.gomer.co.uk

ISBN 978-1-84851-243-6

Dyluniad y clawr a'r gyfrol: Rebecca Ingleby Davies, mopublications.com

Dymuna'r cyhoeddwyr gydnabod cymorth Cyngor Llyfrau Cymru a Chyngor Cefn Gwlad Cymru.

Argraffwyd a rhwymwyd yng Nghymru gan Wasg Gomer, Llandysul, Ceredigion.

Llun y clawr: **Llanddwyn, Ynys Môn**
Llun gyferbyn: **Aber afonydd Taf a Thywi**

NO
FISHING

Cynnwys

Y pier ym Mhenarth

Rhagair

Gweledigaeth uchelgeisiol gan Lywodraeth Cymru oedd cefnogi'r llwybr o amgylch yr arfordir. Roedd darnau o'r llwybr eisoes yn eu lle, ond mae'n cymryd hyder arbennig i osod targed o amgylchynu'r genedl i gyd. Y cynghorau lleol sydd wedi bod wrthi'n tyllu'r pridd, yn symud cerrig ac yn gosod arwyddion, ar y cyd â chontractwyr, gwirfoddolwyr a grwpiau cymunedol. Mae staff y Cyngor Cefn Gwlad hefyd yn haeddu clod am gyd-drefnu'r prosiect.

Mi fydd y llwybr arfordirol yn denu ymwelwyr o bedwar ban byd. Nid oes modd gwella tirwedd naturiol Cymru – dyma'r ased economaidd mwyaf sydd gennym. Mae'r llwybr yn caniatáu mynediad rhwydd a phleserus i'r dirwedd arfordirol ac, wrth wneud hynny, yn disgrifio siâp y genedl. Wrth ryfeddu at y golygfeydd a mwynhau'r pleser o fod yn yr awyr agored, mae modd deall ychydig am enaid y genedl hefyd.

Mae'r llyfr yma'n ein gwahodd i wneud hyn, diolch i'r ddau awdur sy'n ein harwain ar y daith. Mae'r lluniau a'r geiriau'n dweud dwy stori dra gwahanol ond nid anghymarus â'i gilydd. Jeremy Moore, ffotograffydd tirwedd mwyaf blaengar Cymru, yn llwyddo i ddal gwahanol agweddau ar y dirwedd fel na all neb arall ei wneud, yn darganfod persbectif unigryw ar sawl golygfa gyfarwydd ac yn dangos rhai anghyfarwydd i ni am y tro cyntaf. Dei Tomos, a'i ben yn y pethe ond a'i draed ar y ddaear, yn chwilio am y bobl a'r llenyddiaeth sydd wedi ymgartrefu yn y dirwedd, ac yn ailgysylltu'r hyn sy'n weladwy yn y presennol efo cymeriadau a diwylliant cyfoethog yr oesoedd a fu.

Morgan Parry, Cadeirydd, Cyngor Cefn Gwlad Cymru

Ynys Enlli

Cyflwyniad

Fel un a dreuliodd lawer iawn o'i amser hamdden yn crwydro a dringo mynyddoedd, roedd troi tua'r glannau yn agoriad llygad ac yn bleser tra gwahanol; amheuthun a difyr fu'r darllen a'r ymchwil a fu ynghlwm â'r gwaith.

Aeth y daith â mi o aber Hafren i aber Dyfrdwy, dwy o afonydd gyda'r mwyaf yng ngorllewin yr ynys hon a'u tarddiad ym mynydd-dir Cymru.

Teithio gyda'r cloc wnes i am fod hynny, rywsut, yn beth naturiol i'w wneud gan gychwyn ar aber Hafren a gorffen ar y bont newydd dros aber Dyfrdwy. Bu'n daith eithriadol rhwng dwy bont, a mympwy a dim arall oedd yn gyfrifol am ddewis y cyfeiriad.

Yn wir, peth mympwyol iawn ydi ysgrifennu llyfr, yn enwedig un sy'n sôn am ymweld â mannau arbennig ac am deithio. Beth i'w gynnwys a beth i'w hepgor ydi'r her, a phe na bai cyfyngiadau gofod gallai'r gyfrol hon yn hawdd fod ddwywaith os nad deirgwaith yn hwy nag ydyw. Gallai'r cynnwys fod wedi bod yn dra gwahanol hefyd pe bawn i wedi digwydd cyrraedd ambell le ar adeg wahanol a'r tywydd yn wahanol, neu pe bawn i wedi gweld neu gyfarfod rhywrai eraill ar fy siwrne. Ond mae un peth sy'n aros yn hollol ddigyfnewid, a'r un peth hwnnw ydi amrywiaeth mawr y glannau Cymreig.

I un, mae ffair bleser a chandi-fflos yn rhagori, tra bod ehangder tywodlyd traethau eang yn mynd â bryd un arall, ond lle bynnag yr ewch chi, fe welwch chi amrywiaeth diderfyn. Penrhynnau o greigiau oesol a thraethau o dywod rhy niferus i'w cyfrif, cilfachau dirgel ac ogofâu, ynysoedd a chribau creigiog, ceyrydd, cestyll a goleudai. Amddiffynfeydd milwrol, meysydd awyr a meysydd tanio; gorsafoedd ynni a phurfeydd olew; melinau gwynt a melinau dur; corsydd ac aberoedd; promenâd, pier a phont; twyni, clogwyni, harbwr a chei.

Rhoddodd yr arfordir gynhaliaeth i genedlaethau rhy niferus i'w hamgyffred a rhoddodd llawer llecyn fodlonrwydd a phleser i filoedd hefyd. Dyma gyrchfan hwyl a miri yn ogystal â thawelwch a lle i enaid gael ysbaid.

Ac nid rhywle i'w fwynhau ar dywydd teg, pan fo'r tes yn llethol, y môr yn dawel a'r tywod yn gynnes, yw'r arfordir yn unig. Pe baech chi'n disgwyl am ddyddiau felly, prin yr aech chi yno o gwbwl.

Ewch yno pan fo ewyn ar y don, a'r gwynt yn chwipio'n ddidrugaredd, ewch yno pan fo'r dydd yn marw'n dawel a phan fo'r lloer yn ariannu'r lli. Mae yno bleser yng nghwmni eraill ac ar eich pen eich hun. Ewch i loetran a synfyfyrio ac i nofio. Ewch i wlychu'ch traed a gweiddi fod y dŵr yn oer, i hwylio, rhwyfo neu fwrdd-hwylio ac i gerdded . . . mae digon o ddewis, a bellach mae llwybr a aiff â chi i'r fan a fynnoch, fwy neu lai! Cymru, medden nhw, ydi'r wlad gyntaf i gael llwybr o gylch ei glannau.

Mwynhewch y profiad fel y gwnaeth Jeremy Moore a minnau. Fe welsom ni bethau cyfarwydd ac anghyffredin a daeth profiadau dymunol i'n rhan. Llwyddodd Jeremy i'w dal mewn lluniau cofiadwy a gwnes innau fy ngorau i bortreadu'r glannau mewn geiriau. Mawrygwn ein treftadaeth a'n hetifeddiaeth ar hyd y glannau hyn, lle mae tir a mor yn cwrdd.

Dei Tomos

Coedwig Penderi, Ceredigion

1 GWENT A MORGANNWG

O afon Gwy hyd afon Nedd

Pontydd, gwyliau a thwyni

Sili, ger Y Barri

Llan-faes, y Fflemin Melyn, Aberddawen
a chêl oludoedd gweirglodd, lôn a thwyn.
Iorwerth Cyfeiliog Peate

Mae'r daith o gwmpas y glannau'n dechrau rhwng dwy bont anferth, ar y ffin â Lloegr, ger aber afon Gwy; fe ddaw i ben ym mhen eithaf aber afon Dyfrdwy, aber fwyaf arall Cymru, y mae Lloegr yn berchen ar hanner ohoni hefyd.

Camp nid bychan hyd yn oed yn ail hanner yr ugeinfed ganrif oedd codi dwy 'uchelgaer uwch y weilgi' dros yr aber. Yn 1966 y codwyd y gyntaf o groesfannau afon Hafren, a'r llall oherwydd y cynnydd sylweddol mewn trafnidiaeth 30 mlynedd yn ddiweddarach. Roedd Thomas Telford wedi cynnig codi pont yma mor bell yn ôl ag 1824 ond wrth i'r awdurdodau betruso daeth y trên i deyrnasu. Adeiladwyd pont y rheilffordd yn Sharpness yn 1879 a chloddiwyd twnnel Hafren a'i agor saith mlynedd yn ddiweddarach yn 1886. Byddai pont wedi ei chodi ymhell cyn 1966 oni bai am wrthwynebiad cwmni Rheilffordd y Great Western i fesur seneddol yn nhridegau'r ugeinfed ganrif. Roedd digon o'i hangen o'r dauddegau ymlaen, a barnu yn ôl y cwynion cyson o gyfeiriad Cas-gwent oherwydd pwysau trafnidiaeth hyd yn oed bryd hynny.

Yn rhyfedd ddigon mae'r bont gyntaf, sydd heddiw'n cario traffordd yr M48, i gyd yn Lloegr; mae hi draw ar y chwith yn y fan acw ac yn rhyfeddol o hardd. Mae'r ddau dŵr nengrafog yn ymestyn 123 metr i'r awyr a'r prif rychwant o fewn tri metr i fod yn gilometr o hyd. Mae llawr y ffordd yn codi'n raddol osgeiddig o'r ddwy ochr tua'r canol i greu rhyw enfys fas dros yr aber. Draw i'r dde i gyfeiriad Môr Hafren gellir gweld yr ail groesfan y mae ei holl adeiladwaith, yn cynnwys y traphontydd, ychydig dros bum cilometr o hyd. Ar bentir Beachley, yn Lloegr, y mae troed orllewinol y bont gyntaf ac wedi glanio yno, cam bychan sydd ei angen wedyn i groesi'r ffin i Gymru dros aber afon Gwy.

Teimlai'r bardd Harri Webb i'r byw mai yn Lloegr y cesglid y doll am groesi. Byddai'n falch o ddeall mai yng Nghymru y mae talu am ddefnyddio'r ail bont, er mai i goffrau cwmni mawr rhyngwladol – perchennog y pontydd – yr aiff yr arian, ac na ddaw'r un geiniog i goffrau Cymreig. Er mor rhyfeddol gain yw llinell y bont ddiweddaraf mae rhywbeth yn taro'n od yn y rhes gwifrau trwchus sy'n disgyn yn unionsyth o'r ddau dŵr yng nghanol yr afon gan ffurfio'r hyn sy'n ymddangos yn debyg i ddau byramid o wifrau yn ôl mympwy'r golau. Dyma delyn nefol, a'r awel yn gyfrifol am yr alaw. Pan ddaw hi'n storm o wynt prin fod harmoni, a rhu'r drafnidiaeth yn ddi-baid a diderfyn.

Rhwng y pontydd mae cwrs golff St Pierre, ond wedi troi cefn arnynt a wynebu tua'r gorllewin 'does dim i darfu ar naturioldeb y gwastadeddau yr holl ffordd i aber afon Wysg – a wesgir i'r môr trwy ganol Casnewydd – a thu hwnt wedyn i gyrion Caerdydd. Ond ymddangosiadol yn unig yw'r naturioldeb gan mai llaw dyn dros y canrifoedd sydd wedi creu'r dirwedd yma ac er y gallai ambell un nodi fod y tir yn ddiflas ac undonog nid felly y mae i mi. Codwyd daear las yma diolch i ymdrechion cenedlaethau o amaethwyr a enillodd y corsydd drwy eu draenio.

Yn yr ardal hon 'reens' yw'r enw ar y rhwydwaith o gannoedd lawer o ffosydd sy'n terfynu'r caeau, ac mae natur donnog braidd i'r rheini hefyd sy'n golygu fod peth o'r tir yn codi uwchlaw'r gwlybaniaeth pan fydd hwnnw hyd yn oed ar ei waethaf. Dechreuwyd sychu'r tiroedd yma yn nyddiau'r Rhufeiniaid ac mae'n hawdd deall y gwrthwynebiad a fu ar droad y ganrif i'r bwriad o greu gwarchodfa natur anferth a chynefinoedd newydd i adar.

Mae'r dirwedd yn amrywio o draethau lleidiog rhwng y llanw i forfeydd heli a morlynnoedd hallt, o laswelltiroedd isel gwlyb i byllau lludw ger gorsaf bŵer Aber-wysg, ac maent i gyd yn gynefinoedd gwerthfawr ac o ddiddordeb mawr i naturiaethwyr ac yn arbennig adarwyr, beth bynnag y tymor.

Yr olaf o bysgotwyr traddodiadol afon Hafren a'r 'delyn nefol' yn y cefndir

Gafael llif y llaid ar gwch yn aber afon Ebwy ger Casnewydd

Stori hir yw stori'r glannau hyn. Yng nghreigiau meddal yr aber o dan lathenni o laid y canfuwyd olion traed gwŷr a gwragedd a phlant a grwydrai yma, efallai mor bell â chwe mil o flynyddoedd yn ôl. Sôn am adael ôl eu traed ar dywod amser!

Dyma un o'r ychydig lecynnau yng Nghymru lle mae aderyn y bwn yn nythu a lle y gwelwch, os byddwch yn lwcus, ditw barfog yn yr hesg a'r cyrs heb sôn am delor Cetti'n galw. Dyma gynefin un o dylluanod y dydd, y dylluan glustiog. Mae'r gwastadeddau rhyfeddol yn gartref i amrywiaeth o adar, planhigion a thrychfilod ac yn brawf fod modd creu cynefinoedd newydd a pharhau i ffermio, os oes ewyllys i wneud hynny.

Yr unig bentref o bwys ar y glannau yw Allteuryn neu Goldcliff a'i enw, yn ôl Gerallt Gymro, yn tarddu o adlewyrchiad y goleuni ar y clogwyn calchfaen sy'n gorwedd ar haen o feica euraidd ar lan y môr. Trigain troedfedd yw uchder y clogwyn, digon o glogwyn i roi'r enw 'Hill' ar fferm gyfagos. Roedd yma briordy unwaith â chysylltiadau â gogledd Ffrainc, ond yn llawer nes at ein dyddiau ni fe gofnodir llif mawr 1606 ar fur yr eglwys. Mae'r plac pres wedi ei osod bum troedfedd o'r llawr i ddangos lefel uchaf y dŵr ac i gofnodi y bu i 22 o'r plwyfolion foddi; diddorol sylwi fod y cofnod yn nodi hefyd bod dros bum mil o bunnau o golledion a difrod wedi bod i eiddo lleol cyn sôn am y bywydau a gollwyd. Fe ddarllenais mewn mwy nag un lle i dros ddwy fil o bobl golli eu bywydau ar hyd glannau Môr Hafren y mis Ionawr tymhestlog hwnnw. Yn ôl rhai, tswnami, ton enfawr oedd yn gyfrifol, ond mae eraill o'r farn mai tywydd mawr a gwynt nerthol o'r gorllewin wnaeth y difrod. Onid yr Ionawr hwnnw y bu tywydd anffafriol yn gyfrifol am ddal yn ôl rhai o'r ymfudwyr cynnar ar eu ffordd i America?

Yn torri ar draws y gwastadeddau yma fel cyllell mae aber afon Wysg a phorthladd Casnewydd, ar drai mae glannau lleidiog yr afon yn drawiadol o naturiol, ond yn ddolur i'r mwyafrif o lygaid modern. Efallai y gellid dweud am yr afon fel y dywedwyd am y

Rio Colorado a greodd y Grand Canyon, 'too thin to plough, too thick to drink'. Draw ar y gorwel mae ffurf y Transporter i'w gweld yn glir. Pont unigryw yw hon sy'n llythrennol yn codi cerbydau ac yn eu cludo ar draws yr afon; mae hi rhyw hanner ffordd rhwng pont a fferi.

Rhwng cynnydd sylweddol yn y costau, a thrafferthion gyda'r gweithwyr, bu cryn hanes i adeiladu dociau Casnewydd ac ni fu'r gystadleuaeth rhwng y gwahanol berchnogion o ddim cymorth chwaith. Eto, y dociau a greodd y ddinas hon fel llawer dinas arall a'r angen i allforio glo, haearn a dur oedd wrth wraidd y datblygiadau. Draw ar wastadeddau Gwent y mae gwaith dur enfawr Llanwern. Hwn fel gwaith Richard Thomas & Baldwin yn 1962 oedd un o'r gweithfeydd dur mwyaf modern mewn bodolaeth. Newidiodd yr enw i Waith Spencer ac yna Llanwern wrth i'w berchnogaeth newid.

Y dociau a theulu Ardalydd Bute a wnaeth Gaerdydd yn un o borthladdoedd pwysicaf y byd i allforio glo. Perthyn i'r gorffennol y mae'r cyfnod hwn o lewyrch pan oedd dociau'r ddinas ymhlith rhai mwyaf y byd a'r glo yn cael ei allforio i bedwar ban. Daeth penllanw'r fasnach yn 1913 a thros ddeg miliwn a hanner o dunelli'n gadael oddi yma.

Wedi blynyddoedd o ddirywiad a diffyg buddsoddiad yn y dociau, adeiladwyd argae a chrëwyd Bae Caerdydd; bellach, mae ardal y dociau'n fywiog eto gyda'r Senedd a Chanolfan y Mileniwm

Y titw barfog swil ger Aberwysg

Pont Gludo Casnewydd, y 'Transporter', yn ei gogoniant glaswyrdd

Y cwt pinc ar Forglawdd Bae Caerdydd sydd o gymorth i longwyr

ymhlith yr atyniadau. Cred rhai fod echel y greadigaeth Gymreig fodern yn troi yn y fan hon ond ar fy anfynych ymweliadau yno, fel lle oeraidd dienaid y'i gwelais, a rhyw wynt yn bythol chwythu yno.

Yr ochr arall i afon Elái, dacw Benarth. 'Lle i fyw ynddo,' meddai Saunders Lewis wrth Aneirin Talfan Davies un tro, gan ychwanegu 'does gen i ddim i'w ddweud wrth Benarth'. Eto i gyd, yma yr ysgrifennodd lawer o'i ddramâu, yn eu plith *Esther*, *Brad* a *Gymerwch chi Sigarét?* Yma hefyd, ar y cyd â'r Athro Griffith John Williams a'i briod ac Ambrose Bebb, yr aethpwyd ati i osod sylfeini'r Blaid Genedlaethol. A hwythau wrthi'n creu polisi ar gyfer y blaid newydd dyma lythyr yn cyrraedd oddi wrth H. R. Jones, Deiniolen yn eu gwahodd i ymuno â Byddin Cymru. Cytunasant i dderbyn y gwahoddiad ar yr amod fod y ddogfen bolisi a grëwyd ganddynt ym Mhenarth yn cael ei derbyn yn ei chrynswth, a dyna a wnaed. Mae'r gweddill yn rhan o'n hanes, a sefydlwyd Plaid Genedlaethol Cymru ym Mhwllheli fis Awst 1925.

Yma y diweddodd y cerddor Joseph Parry ei ddyddiau ac ymhlith y Cymry amlwg eraill a fu'n byw yma mae'r Athro W. J. Gruffydd a'r bardd-bregethwr, Elfed. Heddiw dyma gartref yr arlunydd nodedig Ifor Davies a greodd gyfres o baentiadau hynod o'r tywysogion Cymreig ar gyfer cyfres deledu ar yr un testun.

Adeiladu'r dociau yng nghanol y bedwaredd ganrif ar bymtheg a wnaeth Benarth yr hyn ydyw heddiw. Cyn hynny 'doedd y lle fawr mwy na phentref di-nod. Ond tyfodd yn sydyn, o boblogaeth o ychydig dan 2,000 yn 1861 i dros 14,000 yn 1901. Codwyd tai ac adeiladau deniadol a daethpwyd i adnabod y lle fel 'Yr Ardd ger y Môr' diolch i'w barciau a'i erddi. Mewn erthygl yn y *Western Mail* ym Mai 1893 mae sôn am y bwriad o wneud y dref yn atyniad i ymwelwyr er bod yno ddociau a phrysurdeb diwydiannol yn y pen dwyreiniol. Flwyddyn yn ddiweddarach adeiladwyd y pier, sy'n dal i sefyll heddiw. Diolch i arian o Gronfa Dreftadaeth y Loteri bydd y Pafiliwn wedi ei ailagor erbyn 2013 a'r pier, a'i doeau pigfain gwyrdd, sydd dros ddau gan llath o hyd, yn cael ei adfer i'w hen ogoniant.

I gael golygfa dda o'r arfordir a draw tuag at Wlad yr Haf, rhaid mynd i Drwyn Larnog, ychydig i'r gorllewin. Yma ar ddiwrnod braf mae'n bosib gweld am filltiroedd. Ond mae i'r llecyn hwn le anrhydeddus yn ein hanes. Yma am y tro cyntaf erioed, yn 1897, yr anfonwyd negeseuon radio pan lwyddodd Guglielmo Marconi a George Kemp i gysylltu trwy 'gyfrwng y cyfrwng' ag Ynys Echni neu Flatholm i ddechrau ac yna â phentir Brean Down yng Ngwlad yr Haf. Ynghlwm wrth yr holl fusnes hefyd roedd y Cymro Syr William Henry Preece, a oedd yn brif beiriannydd y Gwasanaeth Telegraff Prydeinig. Heddiw, mae pentref gwyliau gerllaw yn dwyn enw Marconi er teyrnged iddo.

Yn ôl Gwynedd Pierce ystyr Larnog yw 'lle mae'r ehedydd yn canu' a heb wybod fod i'r lle enw Cymraeg, fe ysgrifennodd Saunders Lewis y gerdd hon o dan y teitl 'Lavernock':

> Gwaun a môr, cân ehedydd
> yn esgyn trwy libart y gwynt,
> ninnau'n sefyll i wrando
> fel y gwrandawem gynt.
>
> Be' sy'n aros, pa gyfoeth,
> wedi helbulon ein hynt?
> Gwaun a môr, cân ehedydd
> Yn disgyn trwy libart y gwynt.

Wedi oedi cyhyd o gwmpas Penarth rhaid symud ymlaen tua'r Barri. Roedd ynys yno cyn adeiladu'r dociau enwog, a hyd heddiw caiff un o draethau gorau Bro Morgannwg, Whitmore Bay, ei gysgodi'n ddiogel gan ddau bentir bychan, Friars Point a Nell's Point, nad oes iddynt, hyd y gwn i, enwau Cymraeg.

'Creu gwir fel gwydr o ffwrnais awen'

Bu Ynys y Barri yn atyniad poblogaidd; mae sôn am 400,000 o ymwelwyr yn dod yma dros benwythnos Gŵyl y Banc yn Awst 1934, y mwyafrif llethol ohonynt ar y trên. Am 30 mlynedd, o 1966 ymlaen, bu Gwersyll Billy Butlin yn hudo'r miloedd ar wyliau. Tybed a fu'r llofrudd Fred West ymhlith yr ymwelwyr ac mai dyna pam y gwasgarwyd ei lwch yma yn 1995? Dim ond yn ddiweddar, diolch i'm merched Gwen ac Elin, y deuthum yn ymwybodol bod teuluoedd *Gavin and Stacey*, y gyfres deledu boblogaidd a ffilmiwyd yn rhannol yn y Barri yn dwyn y cyfenwau West a Shipman, fel y meddyg a fu'n gyfrifol am o leiaf 218 o lofruddiaethau, ac i Doris, y diweddar ardderchog Margaret John, dynnu sylw at y cyfenwau ar ddydd priodas y prif gymeriadau gan resynu mai Shipman fyddai cyfenw Stacey o hynny allan, a hithau, y beth fach, wedi edrych ymlaen cymaint at ddiosg y cyfenw West am un mwy derbyniol. Mae un arall o gymeriadau'r gyfres yn dwyn yr enw Pete Sutcliffe, a dyna, am wn i, yw hiwmor tywyll a chynnil teledu ein dyddiau ni.

Mae'r awen ar y gwynt yma mae'n amlwg, ffolodd R. Williams Parry ar y Barri, a Gwenallt hefyd. Yma, ar anogaeth Silyn Roberts, a hithau'n athrawes Ffrangeg, y cyhoeddodd Annie Foulkes y flodeugerdd *Telyn y Dydd*; a diolch i'r un gŵr o Ddyffryn Nantlle y cyhoeddwyd *Telyn y Nos* Cynan, y gyfrol gyntaf o'i farddoniaeth wedi iddo ennill gwobr amdani yn Eisteddfod Genedlaethol 1920 yn y dref. Ymwelwyr â'r dref oedd y rhain i gyd, ond yma y magwyd y cerddor Grace Williams. Roedd ei thad yn athro ysgol ac arweinydd côr plant hynod lwyddiannus a gipiodd wobrau yn y Genedlaethol ac ym Mharis cyn teithio i'r Unol Daleithiau a chanu i'r Arlywydd Wilson. O'r Barri hefyd y daw Julia Gillard, y ferch gyntaf erioed i'w hethol yn Brifweinidog Awstralia.

Diwedd y bedwaredd ganrif ar bymtheg a dechrau'r ugeinfed oedd oes aur y Barri. Wedi i David Davies, Llandinam gael caniatâd y Senedd a Thŷ'r Arglwyddi i godi dociau ac agor rheilffordd i'w lofeydd yn y Rhondda yn 1884 gan osgoi monopoli Ardalydd Bute yng Nghaerdydd, tyfodd y dref yn aruthrol, a hefyd ei phoblogaeth, o ychydig dan 500 yn 1881 i bron i 28,000 erbyn troad y ganrif. Yn 1890 roedd 600 o longau'n defnyddio'r dociau, erbyn 1903 roedd y cyfrif yn 3,000, ac yn y flwyddyn cyn y Rhyfel Mawr yn 1913 allforiwyd dros 11 miliwn o dunelli o lo o'r Barri yn unig, mwy na Chaerdydd, gan roi Arglwydd Bute yn ei le!

Rhwng y Barri a'r Rhws a'i faes awyr, Maes Awyr Caerdydd erbyn hyn, mae fferm o'r enw Cwm Cidi y darllenais yn rhywle fod yno eirin arbennig iawn. Eirin gwyllt a oedd yn aeddfedu'n hwyr yn y flwyddyn. Yn ôl Iolo Morganwg, os oes cred ar hwnnw, roedd y rhain 'yn aeron blasus, ag iachus yn nyfnder gauaf pan na bo dim arall ar goed'.

Un o dri maes awyr y Fro yw hwn yn y Rhws; yr enwocaf o'r lleill yw Sain Tathan oherwydd y gwrthwynebiad a fu i'w adeiladu cyn yr Ail Ryfel Byd. Fe'i hagorwyd ar 1 Medi 1939. Mae'r trydydd maes awyr hefyd yn dyddio'n ôl i ddyddiau'r RAF ond yr hyn a ddaeth â Llandŵ i sylw'r cyhoedd oedd damwain i awyren AVRO Tudor yn dychwelyd o Ddulyn wedi i dîm rygbi Cymru gipio'r Goron Driphlyg gyntaf er 1911. Ar bnawn Sul 12 Mawrth 1950, am ryw reswm efallai fod yr awyren wedi'i gorlwytho neu i'r llwyth symud – daeth i lawr ger treflan Tresigin a lladd 80 o deithwyr a chriw. Tri o'r teithwyr yn unig a ddaeth o'r ddamwain yn fyw. Rhywbeth newydd oedd hedfan ar y pryd ac roedd yr awyren wedi ei llogi'n arbennig ar gyfer y daith. Ymhlith y lladdedigion roedd rhai o chwaraewyr a chefnogwyr timau Abercarn a Llanharan ac i gofio'r golled mae llun propelor ar fathodyn un o'r clybiau a chroes ddu ar y llall.

Trwyn y Rhws yw llecyn mwyaf deheuol Cymru ac ar un amser roedd model o'r byd ar drybedd ar ben eithaf y trai. Bellach cylch o gerrig ger mynedfa'r traeth sydd i nodi'r llecyn pwysig hwn.

Mae'n amhosib gweld eglwys Llanilltud Fawr o'r glannau – mae hi draw o olwg y môr a'i beryglon. Er mwyn osgoi tynnu sylw gormeswyr, mae'n debyg, y lleolwyd yr eglwys o'r golwg yn y pant. Dyma un o ganolfannau pwysicaf Cristnogaeth ar Ynys Prydain. Roedd mynachlog yma yn ôl yn nyddiau cynharaf Cristnogaeth a bu gosber, paderau ac oedfaon gwlithog yn rhan annatod o'r lle ers pymtheg can mlynedd o leiaf. O Lydaw y daeth Illtud yma ac fe'i dilynwyd gan eraill a thyfodd i fod yn ganolfan o ddysg eithriadol. Mae'r eglwys yn un nodedig, yn fawr o ystyried maint y dref, ond mae'r casgliad o feini Celtaidd cynnar sydd ynddi yn dyst i bwysigrwydd a hynafiaeth y llecyn. Yn ôl rhai, yma y claddwyd rhai o dywysogion cynnar y Deheubarth a dywedodd John Wesley ym mlwyddyn y Tair Caib (1777) mai dyma eglwys ehangaf a harddaf Cymru. Gan gofio hynny, ni ddylai neb ddod i Lanilltud Fawr heb ymweld â'r eglwys ryfeddol hon ac mae arian o Gronfa Dreftadaeth y Loteri wedi ei sicrhau i greu amgueddfa i ddangos y creiriau yng Nghapel Galilea gerllaw. Bydd hynny'n rhoi lle teilwng i'r hen feini ac i ddehongli hanes a threftadaeth Llanilltud Fawr.

Lle arall o bwys ydi castell Sain Dunwyd sy'n gartref er 1960 i Goleg Iwerydd. Coleg chweched dosbarth yw hwn sy'n denu myfyrwyr o wledydd trwy'r byd. Mae rhan o'r castell yn dyddio yn ôl i'r bymthegfed ganrif a bu yn nwylo teulu'r Stradlingiaid am genedlaethau, pobl o dras Normanaidd a ddaeth, ymhen y rhawg, fel amryw o deuluoedd bonedd eraill y Fro, yn Gymry ac yn Gymry Cymraeg. Dywed Aneirin Talfan Davies yn ei gyfrolau ar grwydro Morgannwg i hynny ddigwydd sawl tro. Gresynu yr oedd yn saithdegau'r ugeinfed ganrif fod yr iaith wedi treio yn arw, ond roedd o bryd hynny yn gweld arwyddion o ddeffro ac yn canmol Ysgol Gymraeg y Barri, er enghraifft, yn fawr am ddod â'r iaith yn ôl. 'Does bosib na fyddai'n falch heddiw o'r hyn a ddigwyddodd i addysg Gymraeg, nid yn unig yn y Fro, ond ym Mlaenau Morgannwg a draw yng Ngwent. Yn y dyddiau rhwng teyrnasiad y Stradlingiaid a chyfnod y coleg bu'r castell ym meddiant gwahanol bobl gan gynnwys y miliwnydd papur newydd Randolph Hearst a wariodd gyfran o'i ffortiwn ar y lle. Bryd hynny byddai gwladweinwyr amlwg ac enwogion y sgrin yn ymweld â Sain Dunwyd. Onid Marion Davies o Hollywood oedd ei feistres ac onid ar ei fywyd ef yr oedd y ffilm *Citizen Kane* gydag Orson Welles yn seiliedig?

Mae'r glannau yma'n dal i ddenu ymwelwyr heddiw wrth y miloedd i lenwi meysydd carafannau fel Trecco Bay ym Mhorthcawl. Yn ei gyfrol *Tribannau Morgannwg* mae Tegwyn Jones yn sôn am oes arall ac am y ffordd y byddai ymwelwyr 'slawer dydd yn oedi i wrando ar yr hen arferiad o ganu wrth aredig gydag ychen. Gan ddyfynnu G. J. Williams, dywed y byddai 'rhes o gerbydau'n aros ar briffordd, a'r teithwyr yn gwrando ar ganu'r bechgyn yn gyrru'r ychen . . . dros feysydd llydain y Fro'. Roedd meddu ar lais da, fe ddywedir, cyn bwysiced â dim arall mewn sawl ardal yn y deheudir wrth drin Silc a Sowin a chymell yr ychen ganrif a hanner yn ôl.

Gwibiwn ar ein ffordd a rhaid peidio ag anghofio Goleudy Nash Point, yr olaf o'r goleudai Cymreig i fod yn gartref i ddynion a fu'n cadw'r lamp ynghynn. Maen nhw i gyd er 1998 yn cael eu rheoli o bell. Dyma ardal Arfordir Treftadaeth Morgannwg, lle roedd pedair milltir ar ddeg o lwybr ar hyd y glannau yn ymestyn o Aberddawan yr holl ffordd i Borthcawl ymhell cyn bod sôn am Lwybr y Glannau i Gymru gyfan. Dyma ardal y clogwyni haenog brau, a'r traeth o graig, a grëwyd mewn rhyw fôr trofannol dros dri chan miliwn o flynyddoedd yn ôl. Dyma Ddwn-rhefn; bu yno blasty unwaith, ac â'r lle hwn y cysylltir yr unawd enwog 'Brad Dynrafon' sy'n seiliedig ar chwedl fod un o gyn-berchnogion y lle wedi bod yn 'wreca', yn denu llongau i'w tranc gyda 'goleuni hudol fflam' er mwyn elwa ar eu cargo ac eiddo'r teithwyr druan. Y chwedl oedd fod yr olaf o feibion y plas ar un o'r llongau a ddenwyd ar y creigiau un noson. Daw bardd anhysbys â'i gerdd i uchafbwynt a chlo effeithiol gyda cherddoriaeth D. Pughe Evans:

Y lladron a'u llusernau'n dân
A ruthrent am y stôr,
A'r tad a ganfu ei fab ei hun,
Yn farw ar draeth y môr.

Stori wahanol sydd ynghlwm wrth y Sger, un arall o dai mawr y glannau. Yn y gân enwog am 'Y Ferch o'r Sger', ceir stori debyg i un y ferch o Gefn Ydfa, o dorcalon am na châi merch y plas briodi ei chariad. Wedi blynyddoedd o fod yn wag a diffaith, dychwelodd peth o ogoniant y gorffennol i Dŷ Mawr y Sger ac ers nifer o flynyddoedd bellach mae ym meddiant yr Athro Niall Ferguson, yr hanesydd a'i deulu, ac yn edrych yn hardd dan orchudd o wyngalch melyn. Serch hynny, mae hwn yn dal yn llecyn anghysbell rhwng y môr a'r twyni tywod yng Nghynffig.

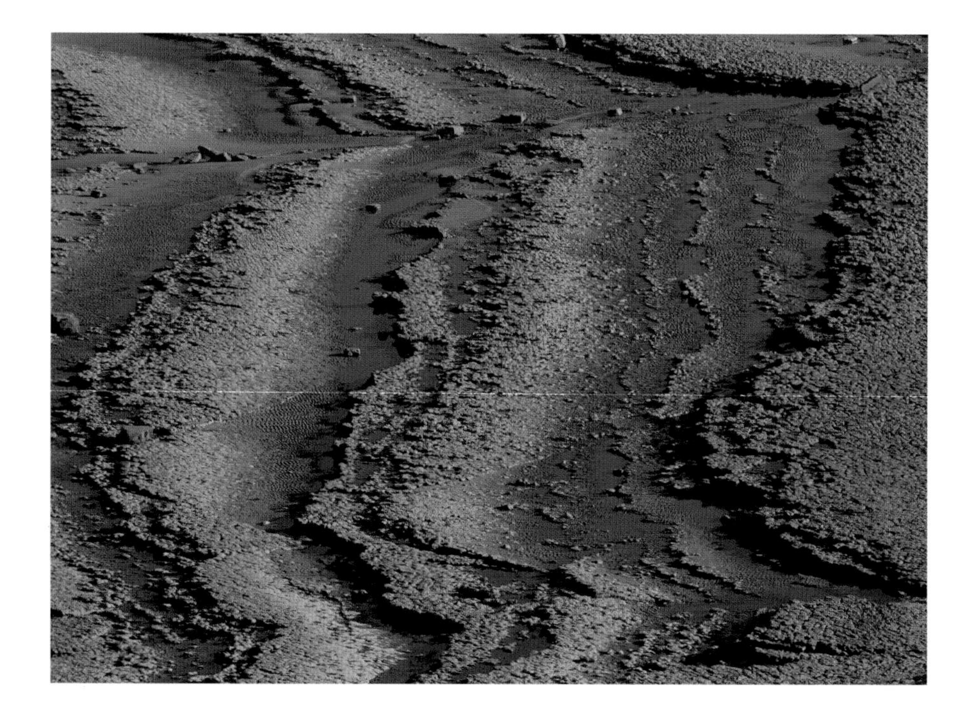

Arfordir carreg galch ger Southerndown

Ond os mai trist yw'r hanes am Elizabeth Williams, y ferch a briodwyd yn erbyn ei hewyllys ac a gafodd afael yn nychymyg y nofelydd R. D. Blackmore, 'mwy trist na thristwch' yw'r hanes am golli'r *Samtampa* mewn storm eithriadol yn Ebrill 1947. Collodd ei hangorau ar ôl methu â chyrraedd porthladd Casnewydd ac aeth ar y creigiau a malu'n dri darn. Collwyd pob un o'r 39 oedd ar ei bwrdd a phan ddaeth eu cyrff i'r lan methwyd ag adnabod 12 ohonynt. Maent yn gorwedd mewn un bedd mawr ym Mynwent Porthcawl. Ganllath neu ddau y naill ffordd neu'r llall a byddai'r llong wedi glanio ar dywod. Ond yr ergyd yn lleol oedd colli cwch achub y Mwmbwls a'i 8 o griw, a hynny er eu bod yn hynod brofiadol a'u cocsŷn William Gammon eisoes wedi derbyn medal aur yr RNLI dair blynedd ynghynt ar ôl achub criw llong ger Port Talbot.

Ar y glannau yn y fan hon mae dau le nodedig iawn o ran eu natur, sef Merthyr Mawr a Chynffig, lle mae dwy Warchodfa Natur Genedlaethol. Mae'n bosib adfer a chreu cynefinoedd newydd ar gyfer bywyd gwyllt, fel y gwnaed ar wastadeddau Gwent i wneud iawn am golli naturioldeb aberoedd Taf ac Elái yng Nghaerdydd pan grëwyd y Bae, ond 'does yr un dewin a fedr greu twyni tywod. Mae hynny y tu hwnt i allu dyn.

Mae'r twyni yma dros ardal eang yn hynod o ran eu maint a'u golwg, eu huchder a'u hamrywiaeth, heb anghofio cyfoeth eu rhywogaethau. Yng nghanol Twyni Cynffig mae'r Pwll, y llyn naturiol mwyaf yn yr hen Forgannwg. Mae gen i gof byw o grwydro'i lannau un prynhawn a sawl mursen a gwas y neidr yn fwy bywiog yn y tes nag oeddwn i, ond prin fod angen symud oherwydd wrth ddefnyddio pâr o wydrau cryfion roedd modd cael gwledd wrth ddilyn yn ddidrafferth eu 'dawns aflonydd-lonydd' ys dywedodd Gwyn Erfyl, a dotio fel yntau ar y 'gwybed yn cracio'r gwydr'. Darlun o haf yn ei anterth a'r traethau aur heb fod ymhell.

Yn ôl yr arbenigwyr, crëwyd milltiroedd o dwyni yn ymestyn o aber Ogwr i Benrhyn Gŵyr gan stormydd eithafol

rhwng y drydedd ganrif ar ddeg ar unfed ganrif ar bymtheg. Claddwyd tref a chastell go sylweddol o dan y tywod yng Nghynffig. Lle methodd cyrchoedd niferus y Cymry â threchu'r Normaniaid fe lwyddodd y tywod. Yn 1307 roedd rhwng 700 ac 800 o drigolion yno, ond heddiw 'does neb na dim a edwyn eu lle ac eithrio pwt o dŵr y castell. Cynffig a Merthyr Mawr yw gweddillion y system o dwyni, ond mae traethau euraidd yn ymestyn bron yn ddi-fwlch ar hyd yr un glannau ac enwau fel Sandfields ym Mhort Talbot ac Aberafan yn adlais o'r hyn oedd yma gynt. Yma hefyd ar y gwastadeddau tywodlyd mae gweithfeydd dur a diwydiannau trwm a chemegol Margam a Bae Baglan, a phorthladd Port Talbot a'i forgloddiau yng ngheg afon Afan.

Dechrau'r daith hon oedd aber afon Gwy, a dyma ni wedi cyrraedd glan aber afon Nedd, nid nepell o fynwent y llongau yn Llansawel. Mae'n arfordir amrywiol a chyfoethog a welodd fwy o newid a datblygu nag odid un darn arall o lannau Cymru. Ciliodd y mwyafrif o'r diwydiannau trwm, ond fe erys rhai mannau hudol, lle nad oes dim ond awel a haul, storm a chreigiau, twyni a chân ehedydd yn codi a gostwng yn libart y gwynt.

Rhamant y machlud ym Margam

Port Talbot yn ddisglair yng ngolau'r haul

Ar fin y dŵr ym Mhort Talbot

2 GŴYR A GLANNAU MYRDDIN

O Lansawel hyd Bentywyn

Injan stêm, cocos a Babs

Rhosili

Ar y bont uwch afon Nedd mae gogoniannau o'n deutu; o'n hôl, rhan o lannau'r hen Forgannwg a Gwent, ac i ddod Penrhyn Gŵyr, glannau sir Gâr a'r drioleg o aberoedd a aiff â ni am lannau Penfro. Yma ar y bont mae olion diwydiant ar bob llaw a 'does fawr o yrwyr y miloedd ceir sy'n gwibio heibio yn ymwybodol o safle hen ddoc Llansawel na chyfraniad dau archbeiriannydd i'r safle.

Isambard Kingdom Brunel a fu'n gyfrifol yn 1850 am greu doc a oedd yn arnofio, ac nid rhyw ffunen boced o ddoc chwaith, ond un ag arwynebedd o dros 180 o erwau a chlwyd fawr dros hanner can troedfedd o led i'w chau i sicrhau lefel gyson o ddŵr y tu mewn, er bod lefel yr afon y tu allan yn ddibynnol ar fympwy'r llanw. Roedd hwn yn unigryw fel yr oedd y system hydrolig hynod fyddai'n agor a chau'r glwyd o dŵr uchel gerllaw. Dyfeisiwyd honno gan William Armstrong, ac er nad yw ei enw ef efallai mor gyfarwydd ag un Brunel, roedd yntau'n glamp o beiriannydd a dyfeisydd. O'i waith gyda pheiriannau hydrolig aeth ati i adeiladu craeniau gan ddefnyddio'i ddyfeisiadau, cyn troi at gynhyrchu magnelau a daniai ffrwydryn yn hytrach na phelen gron ac yn ddiweddarach adeiladu llongau, yn arbennig llongau rhyfel, a'r cyfan – y llongau a'r arfau – yn dod o'r un iard. Yn ddiweddarach, ar ôl adeiladu clamp o gartref iddo'i hun yng ngogledd-ddwyrain Lloegr fe'i goleuodd â thrydan dŵr – y cartref cyntaf yn y byd i'w oleuo gan ynni adnewyddadwy. Yn 2010 dadorchuddiwyd plac yn Llansawel i gofio'i gyfraniad ac mae gwaith ar y gweill i geisio adfer y doc a'r tŵr.

Brunel, wrth gwrs, a adeiladodd y rheilffordd o Lundain i dde-orllewin Cymru a'i fwriad oedd caniatáu i deithwyr, os dymunent, godi tocyn yn Paddington a fyddai'n mynd â nhw yr holl ffordd i Efrog Newydd.

Daw llongau o hyd at ryw chwe mil tunnell i Lansawel o hyd a llwythi'n cyrraedd ac yn gadael o fetelau drud, deunyddiau adeiladu, coed, dur a glo. Yma hefyd roedd mynwent y llongau lle datgymalwyd llawer llestr ar ddiwedd ei hoes, a cheir cân gan Huw Pudner a Chris Hastings i gofio'r 'Giant's Grave'.

Yn wahanol i Gaerdydd cadwodd Abertawe ei chysylltiad â'r môr, efallai am fod y glannau mor agos i ganol y ddinas, ond fel yng Nghaerdydd dim ond cysgod o weithgarwch y gorffennol sy'n weddill o borthladd a fu unwaith yn hynod brysur a phwysig. Mae hanes morwrol y dref yn dyddio'n ôl yn bell iawn a daeth sawl tro ar fyd, yn arbennig yn sgil y Chwyldro Diwydiannol, pan grëwyd dociau mawrion ag enwau brenhinol a oedd yn ddigon pwysig yn nechrau'r Ail Ryfel Byd i awyrennau'r Almaen ymosod yn ddi-baid ar y dref am dair noson yn 1941. Cofiwn linellau cyntaf 'Y Tangnefeddwyr' gan Waldo Williams 'Uwch yr eira, wybren ros, / Lle mae Abertawe'n fflam' a soned Niclas y Glais sy'n sôn am fod yng ngharchar yn y dref a'r gell yn crynu dan effaith y ffrwydradau. Erbyn heddiw mae erchyllterau'r dyddiau hynny, os nad wedi'u hanghofio, o leiaf yn perthyn i'r gorffennol a cheir cofeb ar Droedffordd y Glannau yn y ddinas i'n hatgoffa fod Abertawe wedi gefeillio â Mannheim, un o ddinasoedd yr Almaen. Ceir atgof hefyd o'r llongau a rowndiodd yr Horn a'u 'henwau'n perarogli', *Galatea* ac *Ocean Rover*. Yn wir, yn y ddinas a'r cyffiniau magwyd nythaid o feirdd, yn eu plith Dylan Thomas, Vernon Watkins, Harri Webb, John Ormond, Bryn Griffiths a Nigel Jenkins. Fe allwn fod wedi dyfynnu amryw ohonynt ond yn hytrach dyma berl atgofus gan Bryan Martin Davies, un o feirdd Dyffryn Aman:

Pan oedd Sadyrnau'n las,
a môr yn Abertawe'n rhowlio chwerthin
ar y traeth,
roedd cychod a chestyll a chloc o flodau
yn llanw'r diwrnod;
a gyda lwc,
ymdeithiem yn y pensil coch o drên

a farciai hanner cylch ei drac
rownd rhimyn glas y bae
i bwynt y Mwmbwls.

Ychwanega at y darlun drwy sôn am 'yfed y glesni' a dotio ar y gwylanod a'r 'llongau banana melyn o'r Gorllewin' yn dod i'r dociau. Roeddent yn blant wedi ffoi a oedd yn 'blasu rhyddid byr o ddyffryn du totalitariaeth glo'. Ond roedd y math hwnnw o ddiwydiant hefyd yn amgylchynu Abertawe – glo, y gweithfeydd a chopr a roes fod i'r ddinas ynghyd â'r dociau prysur. Daeth Amgueddfa Genedlaethol y Glannau i Abertawe i gofnodi'r amseroedd a fu ac mae wedi cartrefu mewn adeilad modern o wydr a llechi wrth ochr hen warws sy'n ei chydio wrth y gorffennol ac sy'n rhan o'r rheswm ei bod yma. Gyda llaw, mae copi perffaith o injan stêm Richard Trevithick, yr injan gyntaf o'i bath yn y byd, yn cael lle o bwys ymhlith trysorau'r amgueddfa, ac wrth sôn am amgueddfeydd, dylid nodi mai Abertawe oedd un o'r trefi cyntaf erioed i gael y fath sefydliad.

Cafodd Abertawe nifer o garedigion ac arloeswyr o blith un teulu y mae'n werth ei grybwyll. Y cyntaf yw teulu'r Aelod Seneddol J. Henry Vivian, a wnaeth gyfraniad i'r diwydiant copr, a dau o'i feibion o leiaf; Henry Hussey Vivian a ddaeth yn Arglwydd Abertawe ac a gariodd y gwaith ymlaen, ac R. Glynn Vivian a droes ei gefn ar ddiwydiant ond defnyddio'i gyfoeth ac ymddiddori mewn celfyddyd gain ac adeiladu Oriel Glynn Vivian yn rhodd amhrisiadwy i'r dref.

Ond rhaid ffarwelio ag Abertawe a'i thraethau hir am fod Penrhyn Gŵyr yn galw.

Mae 'Browyr', fel y galwai'r bardd Crwys y lle, yn dechrau draw yn y Mwmbwls. Enw gwneud yn sicr yw'r enw Cymraeg ar y pentref, ond nid oes sicrwydd ynglŷn â tharddiad 'The Mumbles' yn Saesneg chwaith. Yn y gyfrol *Dictionary of the Place-Names of Wales* mae Hywel Wyn Owen a Richard Morgan yn cynnig o leiaf dri tharddiad posibl. Murmur diderfyn y môr o'r gair Saesneg cynnar *momele* yw un awgrym ond fe allai darddu hefyd o'r gair Lladin *mamillae* am fronnau'r ddwy ynys lanw neu o'r gair Norwyeg *múli* am drwyn neu bentir. Dewiswch chi.

Gerllaw mae Ystumllwynarth a'i gastell; dyma'n ddi-ddadl un o gestyll gorau Gŵyr a'r golygfeydd dros Fae Abertawe a'r Mwmbwls a draw tua de-orllewin Lloegr yn drawiadol iawn. Dywedir bod y castell gwreiddiol yn dyddio'n ôl i'r ddechrau'r ddeuddegfed ganrif ac mai William de Londres o gastell Ogwr oedd yn gyfrifol am ei adeiladu. Bu ymosodiad neu ddau ar y castell gan y Cymry, ac fe adeiladwyd yr hyn a welwn heddiw yn y drydedd ganrif ar ddeg gan deulu'r de Braose, arglwyddi Gŵyr, a hwn yn hytrach na chastell Abertawe a ddaeth yn gartref iddynt. Mae cofnod i Edward I ddod yma ar ymweliad byr yng nghanol wythdegau'r drydedd ganrif ar ddeg, flwyddyn neu ddwy cyn ymosodiad ar y castell yn ystod gwrthryfel Rhys ap Maredudd. Aeth yr adeilad trwy ddwylo sawl teulu nes i gyngor Abertawe ei brynu oddi wrth Ddug Beaufort yn 1927.

Draw ar hyd y glannau mae traethau dirifedi a'u henwau'n adleisio delweddau o dywod a haul a glesni. Dyna Langland a Caswell gerllaw. Draw wedyn ar ôl cilfach ddiarffordd Pwll-du, y mae angen cryn ymdrech ar droed i'w chyrraedd, mae twyni Pennard. Fel yng Nghynffig roedd yma gastell a adawyd ar drugaredd y tywod a'r twyni symudol. O holl draethau bychain Gŵyr, mae'n debyg fod Traeth y Tri Chlogwyn gyda'r enwocaf os nad yr harddaf. Nadreddu tua'r môr y mae dyfroedd Pennard Pill, ac fel yn achos sawl afon arall mae trwyn go hir o gerrig a thywod yn ei hatal rhag ymarllwys yn syth i'r bae a enwyd ar ôl y tri bryncyn amlwg ar fraich o dir sy'n ymestyn yn warcheidiol i'r môr.

Yn wir, heulwen a thraethau yw'r ddelwedd boblogaidd o Benrhyn Gŵyr. Mae'r enw'n cyfeirio at gwmwd llawer mwy na'r orynys ei hun a'r awgrym yn yr enw yw mai darn o dir ar dro, tir wedi gwyro ydyw. Draw ym mhen pellaf y tir mae Pen Pyrod,

Trwyn Whiteford, Penrhyn Gŵyr

Pen Pyrod, Penrhyn Gŵyr

neu Worm's Head. Yn sicr mae ffurf y penrhyn yn atgof o neidr neu anghenfil sydd a'i gefn hir hanner allan o'r dŵr, ei wddf o dan y dŵr ac yna'i ben mawr mileinig yn codi'n fygythiol. Mae eraill wedi ei weld yn debycach i flaen llong Lychlynnaidd gyda'r gwddw hir o dir a'r lwmp o graig drawiadol ar ei ben eithaf; wrth gwrs, yn eu dydd, pethau bygythiol oedd llongau'r Llychlynwyr a'u hwylwyr. Ffurfiau Cymraeg cynnar ar yr enw oedd Ynysweryn a Phen-pryf, ond bellach Pen Pyrod sy'n ffasiynol. Goresgynnwyd yr ardaloedd hyn gan y Normaniaid a daliodd eu dylanwad hyd y dydd heddiw ar enwau'r fro, fel yn neheudir Penfro.

Calchfaen yw sail llawer o'r tir er bod cefnen o'r hen dywodfaen coch yn asgwrn cefn i'r penrhyn. Yn gefndir i sawl golygfa a sawl llun mae Cefn Bryn, gweundir gwelltog a rhedynog eang lle mae llais y gylfinir, hyd yn oed heddiw, yn atgof o ddyddiau plentyndod pan oedd gylfinirod a chornchwiglod yn adar cyffredin. Mae fy nghenhedlaeth i'n hiraethu am y 'ffliwt hyfrydlais uwch y rhos' fel yr oedd cenhedlaeth fy rhieni'n colli galwad bys-dros-ddannedd-crib y rygarŷg.

Yn amaethyddol mae Gŵyr yn benrhyn deniadol, gan fod llawer o'r priddoedd yn ffrwythlon a'r hinsawdd yn garedig. Roedd y penrhyn hefyd yn un o dair ardal – Meirionnydd a Dinefwr oedd y ddwy arall – a ddewiswyd i gynnal yr arbrofion cyntaf gyda chynlluniau amaeth-amgylcheddol Tir Cymen a ledaenwyd ymhen amser ledled Cymru. Yma hefyd bu cydweithio arloesol rhwng porwyr y tiroedd comin i sicrhau gwell rheolaeth pori a budd i'r amgylchedd.

Eangderau Bae'r Tri Chlogwyn ar Benrhyn Gŵyr

Un o henebion enwocaf Gŵyr, os nad y deheubarth, yw Maen Ceti, Arthur's Stone i'r di-Gymraeg. Carreg enfawr ydyw sy'n gorffwys ar esgair Cefn Bryn ger Reynoldston ac a gyfrifid, ynghyd â Silbury Hill a Chôr y Cewri, ymhlith rhyfeddodau pennaf Ynys Prydain yn yr oesoedd cynnar. Dywedir bod enwogrwydd y garreg wedi denu milwyr, a oedd ar eu ffordd o Lydaw i ymladd ar faes Bosworth, drigain milltir allan o'u ffordd i'w gweld. Holltodd y garreg rywdro, gan Dewi Sant yn ôl un traddodiad, a hynny er mwyn profi nad oedd hynodrwydd rhiniol a sanctaidd yn y garreg. Y tebygrwydd yw iddi gael ei chludo yma gan y rhew er bod y syniad iddi fod yn garreg fach boenus yn esgid Arthur Gawr, ac iddo'i thaflu ymaith ar ôl ei chael allan, yn fwy atyniadol a diddorol.

Ar hyd glannau'r de, draw i'r gorllewin o bwynt Port Einon hyd Ben Pyrod, ceir clogwyni calchfaen tal, trawiadol a phrin eu tyfiant am yn ail â chilfachau, hafnau cul ac ogofâu. Yr enwocaf o ddigon o'r ogofâu yw Twll yr Afr ger Pen-y-fai, neu Paviland, ac mae ei henwogrwydd yn fyd-eang diolch i'r hyn a ddarganfuwyd yn 1822.

Y flwyddyn honno aeth Daniel Davies a John Davies, meddyg ac offeiriad o Bort Einon, i chwilota i'r ogof a dod o hyd i nifer sylweddol o esgyrn. Y flwyddyn ddilynol, trwy gysylltiadau teulu Castell Pen-rhys, gwahoddwyd y Parchedig William Buckley, athro daeareg cyntaf Prifysgol Rhydychen a Deon Westminster wedi hynny, i gloddio yno a dyna pryd y gwnaed un o'r darganfyddiadau archaeolegol pwysicaf erioed. Yn yr ogof roedd rhan o weddillion sgerbwd dynol. Credid i ddechrau mai gweddillion un o swyddogion y tollau a lofruddiwyd neu efallai môr-leidr oedd yma ond wedi ailystyried a gweld fod y creadur wedi'i orchuddio ag ocr coch a bod casgliad o freichledau ifori a mwclis cregyn môr wrth ei ochr, daethpwyd i'r casgliad mai gweddillion gwraig ifanc oedd y sgerbwd a daeth enw 'Dynes Goch Paviland' yn gyfarwydd. Penderfynodd Buckley fod y gweddillion yn dyddio'n ôl i gyfnod goresgyniad y Rhufeiniaid ac mai gwraig anllad oedd hon a fu'n boddio chwant milwyr y lleng. Ymhen blynyddoedd wedyn y daeth hi'n amlwg mai esgyrn dyn a ddarganfuwyd a'i fod wedi byw, diolch i'r dechnoleg a'r wyddoniaeth ddiweddaraf, tua 34,000 o flynyddoedd cyn ein cyfnod ni, pan oedd ynysoedd Prydain ac Iwerddon yn rhan o gyfandir Ewrop a'r môr sydd heddiw wrth waelod y clogwyni o leiaf 70 milltir i ffwrdd. Dyma 'oes yr arth a'r blaidd' pan oedd gyrroedd o geirw yn crwydro'r tir heb sôn am y mamoth blewog, y teigr hirddant, y rhino a'r orycs.

Tybed sut le oedd yma bryd hynny? Gweddol gynnes yn ôl y dyddio diweddaraf a symudodd oedran y gŵr yn yr ogof i fod tua wyth mil o flynyddoedd yn hŷn nag a dybiwyd. Tybed sawl machlud a welodd ein cyndadau o agoriad yr ogof wrth edrych draw dros afon lydan a gwastadeddau eang? Sawl cenhedlaeth fu'n byw yma neu'n galw heibio'n dymhorol wrth ddilyn y gyrroedd, a thybed am ba hyd y cadwyd y cof yn fyw am y gŵr ifanc a gladdwyd mewn côt o ocr coch gyda'i dlysau? Ai beddrod neu gartref oedd yr ogof fechan hon yn y clogwyn calchfaen? Pennaeth neu arweinydd, ynteu aelod o griw hela a gladdwyd

Ogof Culver Hole, Port Einon, sy'n llawn dirgelion

yn y llecyn cyfleus agosaf wedi damwain anffodus? 'Chawn ni byth wybod, ac efallai da hynny os yw Bardd yr Haf yn iawn mai, 'mewn anwybod y mae nef yn wir'. Beth bynnag am y dyfalu, mae un ffaith yn sefyll: dyma un o safleoedd archaeolegol pwysicaf y byd. Yma mae beddrodau'n tadau!

Unwaith y bûm i yn yr ogof ac unwaith hefyd y mentrais draw i ben eithaf Penrhyn Gŵyr a phen y ddraig, ac wrth gofio'n ôl mae'n amser meddwl am droi heibio eto gan gofio amseru'r ymweliad i gyd-fynd â'r trai.

Y pentref agosaf at drwyn y penrhyn yw Rhosili pentref a feddiannwyd gan y tywod yw hwn hefyd ac mae gweddillion caer bentir The Knave o'r Oes Haearn gerllaw. Ond pwysicach heddiw yw cofio fod canrif yn union er pan fu farw un o feibion enwocaf y pentref.

Dewiswyd Edgar Evans i ymuno â Robert Falcon Scott a thri arall ar antur i Begwn y De. Er llwyddo i gyrraedd yno ar 17 Ionawr 1912 cawsant siom ddychrynllyd, am fod Roald Amundsen a chyd-Norwywyr wedi cyrraedd yno bum wythnos o'u blaen. Ar y ffordd yn ôl bu farw Evans a'r lleill, fis union wedi cyrraedd y Pegwn.

Roedd Edgar Evans yn fab i longwr a chan ei fod yntau â'i fryd ar fynd i'r môr, ymunodd â'r Llynges. Erbyn 1899 roedd yn gwasanaethu ar HMS *Majestic* lle roedd Scott yn swyddog. Yn ôl Roland Huntford, a ysgrifennodd lyfr dadleugar am Scott, roedd Edgar Evans, a fu'n rhan o ymgyrch gyntaf Scott i'r Antarctig, yn ŵr cydnerth: 'huge, bull-necked beefy figure' yw'r disgrifiad o ŵr a oedd, yn ôl y sôn, braidd yn or-hoff o gwrw a merched. Yn wir, bu ond y dim iddo gael ei adael ar ôl yn Seland Newydd ar y daith dyngedfennol oherwydd iddo yn ei feddwdod syrthio i'r môr wrth ymuno â'r *Terra Nova*. Ond roedd gan Scott feddwl mawr ohono – roedd yn hynod ddyfeisgar a gweithgar, yn un y gellid dibynnu arno mewn argyfwng, ac ar ben hynny yn hwyliog ac yn meddu ar ddawn y cyfarwydd – a phenderfynodd anwybyddu'r digwyddiad anffodus a'i gynnwys ar y daith.

Yn nyddiaduron y daith hir i'r Pegwn ac yn ôl, dywed Scott i Evans weithio'n ddiarbed. Disgrifir ef fel 'cawr o weithiwr' a oedd efallai â mwy na'i siâr o gyfrifoldeb am bethau ymarferol fel slediau, pebyll, sachau cysgu a harneisiau. Wedi bron i bymtheg wythnos mewn tywydd dychrynllyd aeth y cyfan yn drech na'r criw. Evans oedd y cyntaf i ddirywio ar ôl anafu ei law cyn cyrraedd y Pegwn. Wedyn, ar y ffordd i lawr Rhewlif Beardmore, syrthiodd i hollt yn y rhew ac anafu ei ben. Bore trannoeth methodd â chodi o'i wely a gadawyd ef yn y babell nes i'r criw ddychwelyd gyda sled wag i'w gludo ymlaen, ond cyn y bore bu Edgar Evans farw. Wyddom ni ddim beth a ddigwyddodd i'w gorff gan i'r pedwar arall farw yn fuan wedyn. Mwy na thebyg y codwyd croesbren syml uwch ei fedd yn yr eira tragwyddol, ond mae gair i'w goffáu ar fur yr eglwys yn Rhosili. Mae'r geiriau'n cofnodi'r digwyddiad ac yn cynnig teyrnged: 'To seek, to strive, to find, and not to yield.' Yn 1964 enwyd un o adeiladu'r Llynges yn Whale Island, Portsmouth ar ei ôl, yr adeilad cyntaf erioed i'w enwi ar ôl rhywun nad oedd yn llyngesydd. Cydnabyddiaeth yn wir i ŵr o Benrhyn Gŵyr.

Lle bynnag y byddwch, tydi natur ddim ymhell, adar môr ac adar mynydd a blodau i'w ryfeddu ar bob llaw. Mae yma gorsydd a gwelyau o gyrs; dyna chi Oxwich yn cynnig twyni a thraeth a chors, ac ar y penrhyn gerllaw mae 600 a mwy o fathau gwahanol o blanhigion wedi'u cofnodi. Rhwng yr amrywiaeth yma a'r harddwch, pa ryfedd mai Gŵyr oedd yr Ardal o Harddwch Naturiol Eithriadol gyntaf i'w dynodi yng ngwledydd Prydain?

Mae cymeriad glannau'r gorllewin a'r gogledd yn dra gwahanol i'r de a'i glogwyni a'i faeau. O Rosili draw heibio i Langynydd a Whiteford, ynys lanw Burry a'r milltiroedd o dywod daw Llanmadog, Landimôr a Llanrhidian, Wernffrwd, Llanmorlais a Phen-clawdd; ac yna glannau ac ehangder aber afon Llwchwr. Mae yma filoedd lawer o erwau o laid a thywod a glastraeth, lle mae defaid a merlod yn pori'n rhydd, erwau lawer o wacter a

Llanelli'r ochr draw i'r dŵr. Trueni fyddai rhuthro heibio heb sylwi ar yr unig oleudy haearn ar lannau Ynys Prydain yn Whiteford; fe'i hadeiladwyd yn 1865 a'r golau dros 61 troedfedd uwchlaw'r dŵr. Mae'r fro hon yn ardal nodedig am ei hadar, yn enwedig hwyaid a gwyddau; mae dŵr a llaid a phorfa gwellt y gamlas, neu *zostera*, fel bwrdd huliedig iddyn nhw a rhydyddion. Adar hirbig ar goesau brwyn a fedr ddenu trychfilod o guddfannau lleidiog anghyraeddadwy i adar cyffredin yw'r trigolion yma, a phob un a'i le a'i allu yn ôl hyd ei goes a'i big. Ar adegau welwch chi'r un aderyn, dro arall mae'r lle'n fyw ohonynt. Mae'r aber yn eang a hir a digon o le i'r adar symud.

Ar hyd y glannau bu hel cocos yn ddiwydiant o bwys, a'r gragen boblogaidd yn bennaf cysylltiedig â Phen-clawdd, a merched y pentref fyddai'n gweithio'r gwelyau ym mhob tywydd. Gwragedd, mulod bach a throliau o dan eu pwn, sacheidiau o gregyn i'w gwerthu'n lleol a'u hanfon i ffwrdd, dyna'r darlun traddodiadol. Ond y gwirionedd heddiw yw mai dynion efo tractorau a cherbydau gyriant pedair olwyn sydd wrthi, ac mae'r ffatrïoedd bach a arferai drin y cocos wedi cau a'r cregyn bellach yn cael eu trin ym mhentref Crofty. Mae cig oen y glastraeth yn nodedig ei flas ac mae galw o hyd am fara lawr o'r gwymon lleol sydd gyda'r cocos yn rhoi hynodrwydd i'r ardal a'i chynnyrch ac yn cadw'r cysylltiad â'r môr. Unwaith roedd yma borthladd a diwydiant ond fe giliodd y cyfan gan adael pentref tawel a di-stŵr.

Fe ellid dweud yr un peth heddiw am ochr ogleddol aber Llwchwr. Tawelwch lle bu sŵn, hamdden lle bu gwaith, natur lle bu diwydiant. Dros y deng mlynedd ar hugain diwethaf mae'r glannau wedi newid yn llwyr yma.

Un o'r newidiadau mawr oedd creu Canolfan Gwlyptir Genedlaethol Cymru ym Mhenclacwydd gan Ymddiriedolaeth Adar y Gwlyptir yn 1991. Mae'r warchodfa ger Llwynhendy bellach yn ymestyn dros 450 o erwau; mae dros ddau gant o

Cusan wen croes ludw ar laswellt Rhosili

Dim croeso ar faes tanio'r Weinyddiaeth yn Nhalacharn

rywogaethau gwahanol o adar yn galw heibio a thros drigain yn nythu yma. Darparwyd amrywiaeth o gynefinoedd ar dir amaethyddol digon tila; crëwyd llynnoedd bas a dwfn ac mae yma ynysoedd a gwelyau o gyrs. Y gobaith mawr yma fel mewn ambell le arall ydi denu aderyn y bwn i nythu, mae eisoes yn ymwelydd gaeaf â'r llecynnau eang o hesg a chyrs a grëwyd ar ei gyfer ef, ac eraill o adar swil y dŵr. Yma fel yng ngwarchodfeydd eraill yr Ymddiriedolaeth mae casgliad o rai cannoedd o adar yn wyddau a hwyaid o bob cwr o'r byd, ac yn eu tro maen nhw a'r bwyd a ddarperir ar eu cyfer yn denu adar gwyllt wrth y cannoedd. Mae hanner can mil a mwy o adar yn gaeafu yn ehangder diogel yr aber, a llawer ohonynt i'w gweld o guddfannau Penclacwydd. Ymhlith ymwelwyr prin y gaeaf mae'r llwybig sy'n rhidyllu'r cawl o laid yn y pyllau, heb anghofio elyrch y gogledd a'r gwyddau. Wrth i'r dydd ddarfod a'r nos ddod i lannau Llwchwr daw'r llinellau fforchog o adar ar draws y machlud i ddiddosrwydd; mae eu bregliach annealladwy fel hen atgof pell o iaith ddiflanedig. Ymhlith holl synau natur, a oes unrhyw beth fel galwadau cyfeillgar gwyddau ar eu hadain sy'n deffro rhyw hen hen hiraeth anesboniadwy?

Mae Penclacwydd yn un o naw o warchodfeydd Ymddiried-olaeth Adar y Gwlyptir a sefydlwyd yn 1946 gan Peter Scott, adarwr a phaentiwr adar diguro a mab i R. F. Scott a aeth i Begwn y De. Ei fwriad oedd diogelu cynefinoedd a chreu rhai newydd gan fod diwydiant a ffermio wedi llyncu cynifer o gynefinoedd gwlyb a chorsiog. Mae'r glannau yma'n enghraifft glasurol o hynny; 'doedd dim gwerth yn y morfeydd heli a'r gwlyptiroedd corsiog fel tiroedd amaeth, ac yn erbyn y ddadl am swyddi 'doedd gan y glannau a'u natur ddim siawns. Gan eu bod yn wastad a helaeth adeiladwyd llawer o weithfeydd trwm a ffatrïoedd arnynt ond heddiw, a llawer o'r rheini wedi cau, mae arian mawr wedi'i wario ar adfer y tiroedd ac mae glannau Llanelli yn enghraifft o hynny. Yn Llanelli mae Parc y Mileniwm wedi ailgysylltu pobl yr ardal â'u hen gynefinoedd, â'r glannau a'r morfa. Mae'n drist ar un ystyr i ni golli ein diwydiannau ac yn 1981, a minnau'n ohebydd gyda'r rhaglen nosweithiol *Heddiw* ar deledu BBC Cymru, rwy'n cofio teimlo'r diflastod a'r chwithdod a deimlai gweithwyr wrth weld cau gwaith dur Duport yn Llanelli, a'r gofid wrth i ddeuddeg cant o weithwyr golli eu swyddi. Dyddiau diflas oedd y rheini a drawodd gymunedau diwydiannol yn drwm, llawer ohonynt yn y cymoedd ac ar hyd glannau'r de. Hon oedd yr ergyd fawr olaf i Lanelli a oedd wedi blodeuo ar sail glo a thunplat a llu o ddiwydiannau eraill ar y glannau. Serch hynny, onid oes yna arwyddion o lwyddiant a ffyniant math gwahanol o fywyd heddiw?

Draw ym mhorthladd Porth Tywyn y glaniodd Amelia Earhart a dau arall ar ôl hedfan dros Fôr Iwerydd o Newfoundland yn 1928. Hi oedd y wraig gyntaf i lwyddo i wneud hynny. Tu hwnt mae twyni tywod a thraeth hir Cefn Sidan a ger y traeth, ar rannau o'r twyni, mae coedwig fawr, fel yn Niwbwrch ym Môn. Mae maes awyr yma hefyd lle cefais fy myddaru a'm dychryn un prynhawn gan awyrennau rhyfel yn ymarfer. Bellach rasio ceir sy'n tarfu ar yr heddwch ac mae sawl cwmni rasio Formula 1 wedi bod yma'n ymarfer.

Mae traeth Cefn Sidan, a fu'n fynwent i sawl llong, yn ymestyn am saith milltir nes y daw'r tair aber i'r golwg – aber afonydd Gwendraeth Fawr a Fach o'r dwyrain, afon Tywi o'r gogledd ac afon Taf o'r gogledd-orllewin – cyfuniad o aberoedd sylweddol sy'n bylchu'r arfordir. Ymhlith y llongau a gollwyd mae un o India'r Gorllewin ar y ffordd i Ffrainc yn 1828 a oedd wedi crwydro ymhell o'i llwybr. Ar ei bwrdd roedd Adeline Coquelin, nith ddeuddeg oed i Josephine de Beauharnais a fu'n wraig i Napoleon Bonaparte. Boddwyd 13 o'r 19 ar y llong a chladdwyd Adeline ym mynwent Pen-bre.

Mae i'r ardal hefyd hanes tywyllach ac nid damwain, mae'n debyg, oedd pob llongddrylliad; yma, fel mewn mannau eraill, roedd rhai a feiddiai ddenu llongau i'w tranc er mwyn eu hysbeilio. Byddai môr-ladron tir sych yr ardal hon yn cario bwyelli bychain addas i agor howld y llongau a'r cistiau, a daethpwyd i'w hadnabod fel Gwŷr y Bwyelli Bach.

Fel mewn sawl lle arall roedd aberoedd mawr yn drafferthus i deithwyr, a'r un yn fwy felly nag aber afon Tywi. Mae'r bont gyntaf lawer o filltiroedd o'r môr yng Nghaerfyrddin ond ar un adeg roedd yna fferi o Lanyfferi 'dros y dŵr i blwy' Llansteffan'.

Mae'r fferi yma, fel yr awgryma'r enw, yn perthyn i oes a fu a Gerallt Gymro ymhlith y rhai a gyfeiriodd ati. Roedd pysgota yn bwysig bryd hynny ac am ganrifoedd wedyn, ac mae cerflun o bysgotwr yma heddiw i'n hatgoffa. Fel yn Nhalacharn ymhellach draw ar hyd yr arfordir, bu hel cocos o'r pwys mwyaf yma a daw'r prysurdeb yn ôl o bryd i'w gilydd pan agorir y gwelyau cocos gan ddenu casglwyr masnachol o bell ac agos. Gwelwyd brwydro milain rhwng gwahanol griwiau yn nawdegau'r ganrif ddiwethaf ac ymchwiliad seneddol yn galw am drwyddedu'r gwelyau er mwyn cael trefn. Ond heddiw'n amlach na pheidio yr adar sy'n gwledda ar y cregyn.

Mae'r castell draw a welir dros yr afon yn awgrymu pwysigrwydd y pentref a fu unwaith yn arglwyddiaeth, a dyna pam mae castell trawiadol â phorthdy deudwr o'r drydedd ganrif ar ddeg yn Llansteffan. Yma am gyfnod, yn nes at ein hamser ni, yr oedd cartref y cymwynaswr John Williams, meddyg brenhinol adeg Fictoria, a gofir am y casgliad pwysig o lyfrau a llawysgrifau o'i eiddo a ddaeth yn gnewyllyn casgliad Llyfrgell Genedlaethol Cymru.

Draw dros y dŵr, eto yr ochr arall i afon Taf, mewn man cysgodol rhag drycinoedd y gorllewin ar waelod rhiw serth mae Talacharn. Mae yma hefyd gastell Normanaidd hardd a dylanwad y goresgynwyr a'u dilynwyr yn drwm ar yr ardal hon yn ngwaelodion sir Gâr. Enw Saesneg sydd i sawl fferm yn yr ardal hon fel ar Benrhyn Gŵyr.

Nid nepell oddi yma mae treflan Llansadyrnin lle ganwyd Peter Williams a gyhoeddodd y Beibl cyntaf i'w argraffu yng Nghymru; ac, wrth gwrs, nid yw Llanddowror chwaith ymhell lle bu Griffith Jones, arloeswr yr ysgolion cylchynol, yn rheithor. Bu ef farw yn Nhalacharn yng nghartref Madam Bevan, ei noddwraig hael.

Cysylltir Talacharn heddiw ag un a fu'n byw yno am gyfnod, y bardd Dylan Thomas. Yma, yn ôl rhai, y daeth o hyd i gymeriadau a gafodd gig a gwaed yn ei gampwaith *Under Milk Wood*, er y cred eraill mai Ceinewydd yng Ngheredigion oedd Llareggub ac mai oddi yno y daeth ei ysbrydoliaeth. Draw ar lan y dŵr mae'r Boat House lle bu Dylan yn gweithio, ac yn byw yn ystod ei flynyddoedd olaf.

Yn ei gyfrol *Crwydro Sir Gâr* mae Aneirin Talfan Davies yn cyfeirio at wasanaeth angladd Dylan Thomas a gladdwyd ym mynwent Eglwys Sant Martin. Yn ei ddisgrifiad dengys sut y mae adnodau'r gwasanaeth yn 'ymgymysgu'n ddiatal' â llinellau rhai o gerddi Dylan sy'n sôn am farwolaeth. Roedd fel 'meddwl, petai'r bardd ei hun yn cymryd lle'r offeiriad sut y llanwai'r llais cyfoethog bob congl oer o'r adeilad, a rhithmau mawreddog y Beibl Saesneg yn dygyfor fel tonnau'r môr. Ond

No more may gulls cry at their years
Or waves break loud on sea shores . . .'

Daw'r rhan hon o'r daith i ben ar draethau eang Pentywyn lle torrwyd pum record byd am gyflymder uchaf ar y tir. Ymhlith y cystadleuwyr roedd J. G. Parry-Thomas a Malcolm Campbell. Erbyn 1927 roedd Campbell ar y blaen â record o 174.22mya, ond roedd Parry-Thomas yn benderfynol o'i drechu yn ei fodur Babs, ond ac yntau'n gwneud 180mya aeth rhywbeth o'i le, collodd reolaeth ar y car ac fe'i lladdwyd. Wedi'r drasiedi claddwyd y car yn nhywod Pentywyn, yn agos i'r pentref. Yna, yn 1969, cafodd Owen Wyn Owen o Gapel Curig hawl i godi'r car o'r tywod, ac wedi blynyddoedd o lafur llwyddodd i adfer y car i'w hen ogoniant ac mae i'w weld mewn amgueddfa i gofio'r ymdrechion gyrru cyflym ym Mhentywyn. O'r llecyn hwn hefyd yr aeth Amy Johnson a'i gŵr Jim Mollinson mewn awyren i America, ar daith ddi-stop, un o blith nifer fawr o gampau gwraig ryfeddol iawn yn nyddiau cynnar ac arloesol hedfan.

Ystafell ysgrifennu Dylan Thomas yn edrych dros afon Taf

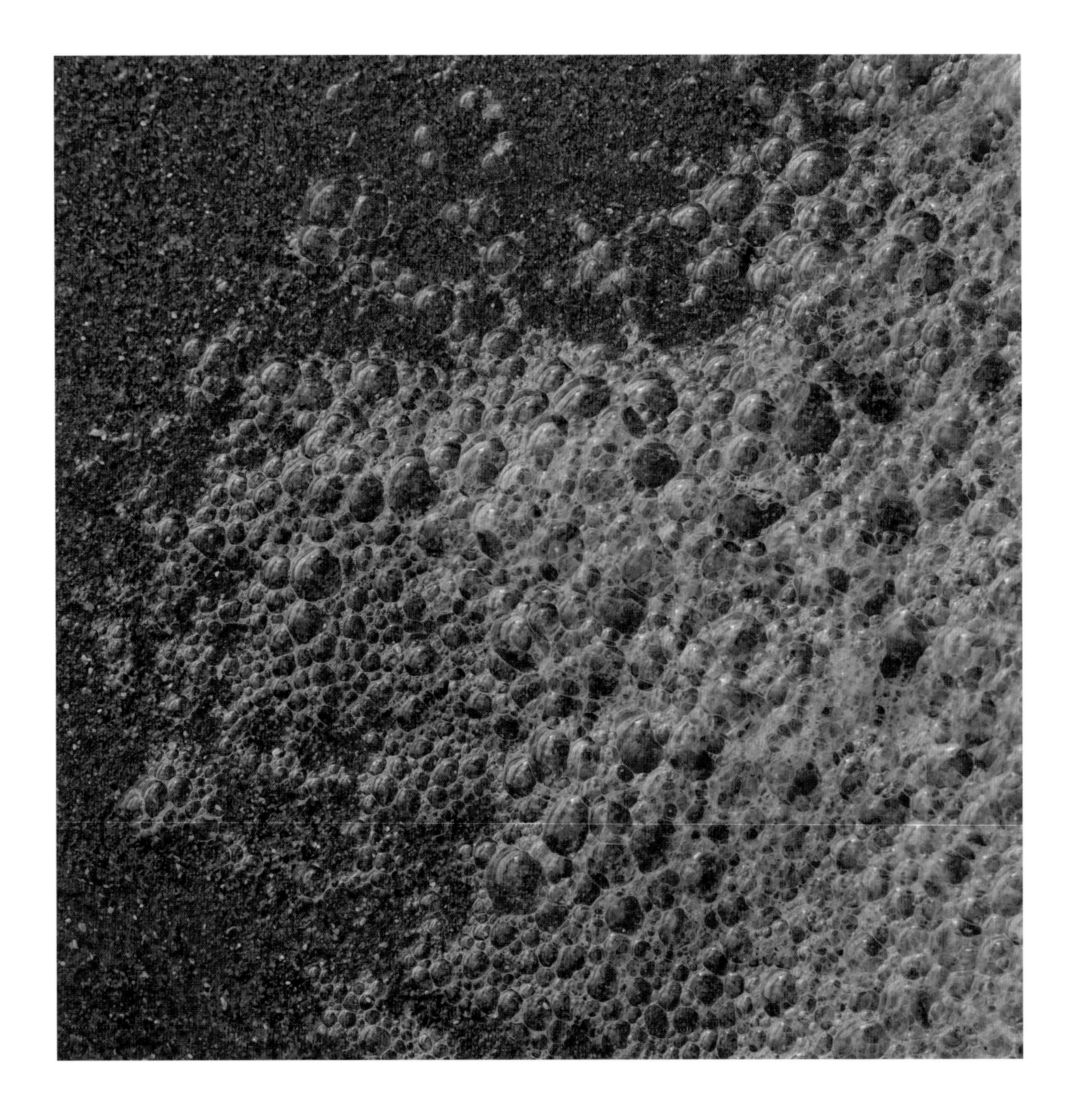

Bae Fall, Penrhyn Gŵyr

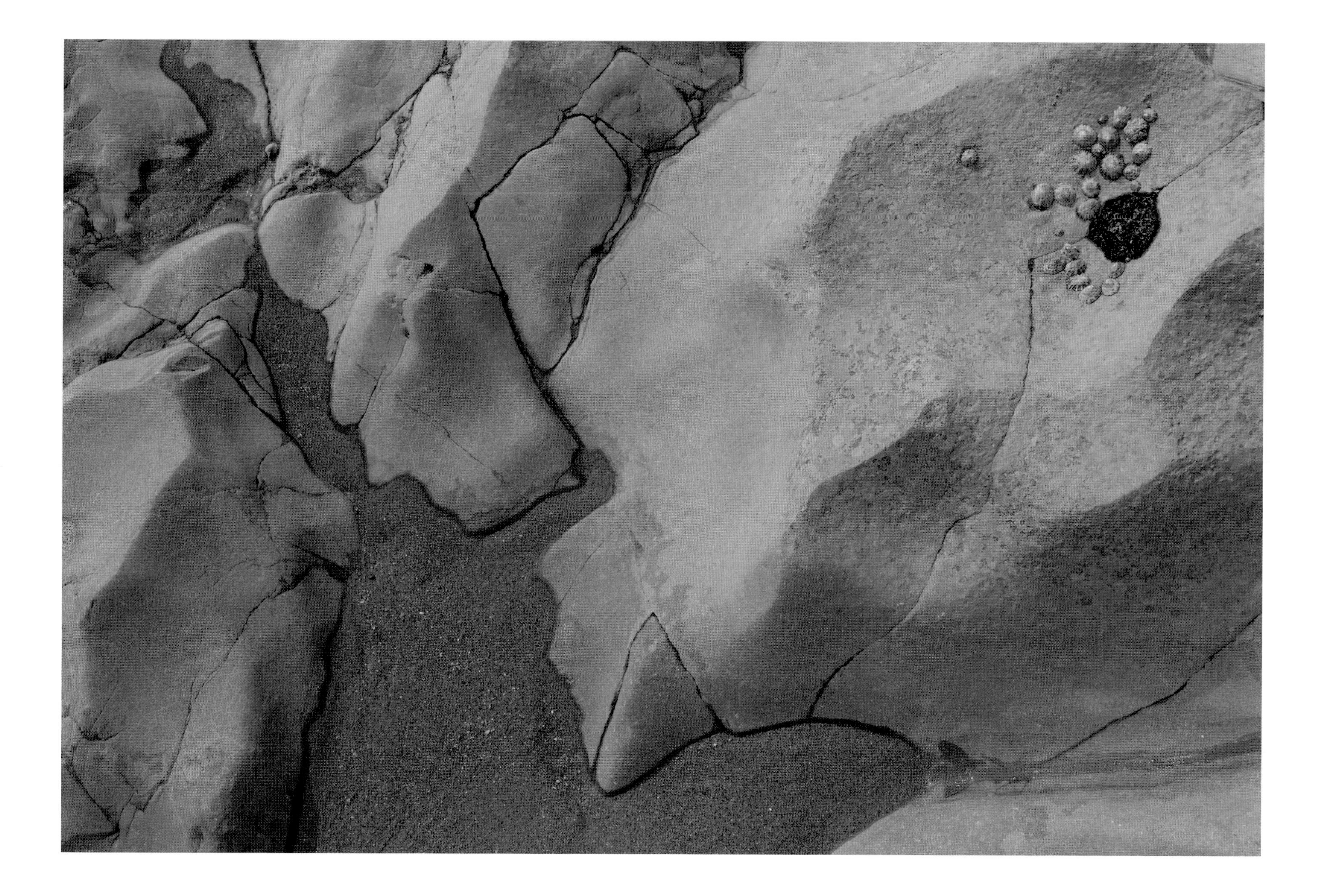

Bae Mewslade, Penrhyn Gŵyr

3 DE PENFRO

O Lan-rhath hyd Aberdaugleddau

Glo, tatws ac olew

Bae Bullslaughter, ger Abercastell

Yn Llan-rhath, ar draeth a gaiff ei chwipio gan stormydd a'i anwesu gan yr haul, y mae dechrau Llwybr Arfordir Penfro a rhwng y fan hon ac aber afon Teifi mae 186 o filltiroedd o gerdded caled. Darnau'n unig a gerddais i, a chael blas a mwynhad bron yn ddieithriad. Tywydd garw, yn enwedig gwynt cryf sy'n tarfu ar gerdded y glannau yma, ac eithrio ambell i dynfa go galed ar i fyny, ac mae yna ambell un wedi diwrnod hir sy'n ymddangos yn dipyn o Everest. Yn wir, rhaid codi a gostwng 35,000 o droedfeddi os am gerdded yr holl ffordd i Landudoch, ac mae hynny chwe mil troedfedd yn uwch nag Everest! Mae'n well gen i gerdded o waelod y sir tua'r gogledd; mae siawns y bydd y gwynt o gymorth mwy, ac yn sicr ar ddyddiau o heulwen ni fydd y 'môr goleuni' yn ein dallu.

O Lan-rhath mae'r bae yn ymestyn ar chwarter cylch cyn belled â Dinbych-y-pysgod a'i hynys yn y pellter. Traeth o dywod a cherrig yn y pen uchaf, traeth sy'n cael ei guro'n ddidrugaredd gan stormydd deheuol, ond ar ddiwrnod braf a'r haf ar drai a'r tyrfaoedd yn cilio, dyma le i enaid gael llonydd. Ar eithaf distyll y don daw olion Gallt Coedrath, hen goedwig hynafol i'r golwg a'i stympiau danheddog du wedi gwrthsefyll glaw a hinda, llanw a thrai saith mil o flynyddoedd.

Yn llawer nes at ein hamser ni, nid fod hynny'n amlwg bellach, roedd yr arfordir yn un diwydiannol. Roedd gwaith haearn Stepaside yng nghanol y bedwaredd ganrif ar bymtheg yn cynhyrchu pedair mil o dunelli o haearn y flwyddyn i'w hallforio o'r traethau yma, a glo caled o Saundersfoot yn mynd i Fryste, Ffrainc ac Iwerddon. Diflannodd y dystiolaeth bron yn llwyr er bod modd gweld ambell i agoriad i'r hen lofeydd o hyd mewn mannau ar y gelltydd. Cofiaf weld clapiau o lo unwaith a methu credu nad oeddwn i'n cofio clywed gair o sôn am lofeydd sir Benfro yn y gwersi Daearyddiaeth 'slawer dydd. Defnyddiwyd traeth Wiseman's Bridge, fel y morfa yng Nghonwy, i baratoi ar gyfer glanio yn Normandi yn ystod yr Ail Ryfel Byd. Dywedir y bu yno unwaith gan mil o filwyr ac i Churchill ac Eisenhower bicio draw yma i sicrhau fod y paratoadau'n gyflawn.

Ond anghofiwch y gorffennol a gadewch i ni dreulio amser 'yn nheyrnas hirfelyn yr haf' fel y dywedodd Eirwyn George, un o brifeirdd y sir, a'r unig un erioed i dderbyn Coron y Brifwyl ar ei draed, am i'r Archdderwydd anghofio'i wahodd i eistedd yn hedd yr eisteddfod.

Dyma Ddinbych-y-pysgod. 'A pha ysgol Sul o Benfro na fu yma?' meddai Hefin Wyn yn ei gyfrol ddifyr *Pentigily* sy'n cofnodi ei bererindod ar hyd llwybr y glannau. Yma mae dau draeth melyn a wahenir gan bentir, yn ogystal ag ynys, cei a hafan i gychod. Mae'n dref ddeniadol, tai lliwgar a phensaernïaeth hyfryd, tref ac iddi raen a chymeriad ond y methodd y muriau a'r pum bwa â chyfyngu arni. Rhai o'm hoff bethau yn y dref yw tŷ'r masnachwr Tuduraidd a adferwyd i'w gyflwr hanesyddol gan yr Ymddiriedolaeth Genedlaethol yn un o'r strydoedd culion, a da chi, galwch heibio eglwys y Santes Fair a'i nenfwd gron a'i nengrafwr o dŵr pedwar ugain troedfedd, sy'n dirnod i forwyr.

Ar un adeg bu Gerallt Gymro yn rheithor yn eglwys y Santes Fair ac felly hefyd yr hynod ddawnus John Dee, a oedd ymhlith pethau eraill yn fathemategydd, yn athro morlywio i sawl anturiaethwr ac yn astrolegydd i'r frenhines Elisabeth I. Dywedir mai ef oedd y tu ôl i'r syniad fod Madog wedi hwylio i America yn y ddeuddegfed ganrif ac mai ef oedd y cyntaf i ddefnyddio'r erchyll eiriau 'British Empire'. Bu'n gyfrifol am ddiweddaru llyfr gan y mathemategydd Robert Recorde, un o blant y dref, a dyfeisydd yr arwydd hafal (=).

Dyma hefyd fan geni'r brawd a chwaer o arlunwyr, Augustus a Gwen John, a'r actor a'r cyfarwyddwr ffilmiau dogfen dadleugar a dadlennol Kenneth Griffith. Os bu Kenneth Griffith yn ffilmio rhaglenni dogfen ar draws y byd fe ddaeth y byd a'i gamerâu, yn eu tro, i sir Benfro i ffilmio, ac mae'r atyniadau'n lleng. Creigiau trawiadol, daeareg hynod, golygfeydd ysblennydd,

Hyfryd iawn yw hufen iâ . . . yn Ninbych-y-pysgod

traethau sidanaidd, torheulwyr llednoeth, y golau anniffiniadwy a'r machludoedd amrywiol ac amryliw, yr awelon balmaidd a'r gwyntoedd bygythiol heb anghofio bythol bresenoldeb y môr cyfnewidiol – tyner ei gusan neu ffyrnig ei ymosodiad.

Un o bleserau glannau sir Benfro yw'r amrywiaeth planhigion ar ben y clogwyni. Mae'r pridd yn denau a'r glaswellt a'r blodau'n amrywio o dymor i dymor, ond blodau'r gwanwyn wedi gaeaf hir a llwm sy'n llonni'n bennaf. O binc y glustog fair i wyn y gludlys arfor a glesni seren y gwanwyn. Mae llawer yn tyfu lle na ddylai blodau dyfu, mewn hafnau bychain ac ar y graig agored lle'r ymddengys fod llwyaid o bridd yn ddigon. Gyda'r blodau daw'r adar yn ôl, adar y môr sydd fwyaf amlwg a rhai'n dychwelyd am ychydig wythnosau prin yn unig, am hoe o'u bywyd crwydrol ar y cefnfor i ddodwy wy neu ddau a magu teulu. Mae ynysoedd y glannau'n gartref i lawer o adar drycin sy'n nythu mewn tyllau cwningod yn y ddaear a'r cloddiau. Maen nhw ar Ynys Sgomer ac ar Enlli wrth y miloedd. Adar hirhoedlog swil, adar y nos a'u galwadau wylofus yn ddychryn i'r anghyfarwydd. Am dri chwarter o'r flwyddyn mae nhw ar daith ddiddiwedd ar y cefnfor, o'r glannau gorllewinol yma draw i lannau Brasil ac yn ôl, yn ddiymdrech hwylio'r awelon ychydig fodfeddi uwchlaw'r tonnau. Mae'r enw 'shearwater' yn ddisgrifiad perffaith. Nid felly yr enw Lladin *Puffinus puffinus*, sy'n cyfleu ac yn awgrymu aderyn arall – y digrif, gorchestol liwgar, bâl. Mae'r rheini hefyd ar hyd y glannau yma. Adar bach ffwdanus y mae hedfan yn ymdrech iddynt, a'u hadenydd yn curo'n gyflym i'w cadw yn yr awyr. Mor wahanol i ymwelydd arall, aderyn drycin Manaw, sy'n nythu ar y creigiau ac yn benigamp eto am hwylio gwyntoedd y clogwyni. Daw'r awel o'r môr, taro'r clogwyn, a chreu gwynt sy'n codi fel drafft mewn simdde.

A'r haf yn ei anterth daw tyfiant toreithiog i lenwi'r lonydd bychain troellog, a lle mae cysgod mae tyfiant, ond yn y mannau noeth digysgod mae'n stori wahanol. At ddiwedd haf a'r hydref mae pla'r rhedyn yn rhoi lliw a'r mwyar yn duo ar y mieri. Nid eu bod nhw i gyd yn fwytadwy i ni; mae canran uchel o fwyar y glannau – ac mae dros 400 o isrywogaethau ohonynt ar Ynys Prydain – mor sur a di-flas â'r eirin tagu sydd mor boblogaidd 'i roi lliw a blas y gwin' ar y *gin* tua diwedd y flwyddyn. Yn y gwanwyn mae gwynder blodau'r drain duon, sy'n addewid o gnwd yr hydref, yn goleuo'r perthi cyn iddynt ddeilio.

At ddiwedd haf hefyd mae glesni clychau'r eos ar goesau bregus yn rhyfeddol. Nid glesni clychau'r gog, sy'n lesni haerllug ar adegau, ond rhyw feddalwch tawel, lliw diwetydd.

Draw i'r gorllewin o Ddinbych-y-pysgod mae cymhlethdod plygiadau'r clogwyni'n annirnadwy bron; mae holl symudiadau'r ddaear wedi newid ac ailosod yr haenau, o fod yn gorwedd yn wastad lorweddol mewn un man i fod yn sefyll ar eu pennau mewn man arall ychydig lathenni i ffwrdd. Mae'r grymoedd a fu'n eu gwasgu a'u plygu yn rhywbeth na ddown ni byth i wybod amdanynt am y byddwn ni, sydd fawr mwy na 'chrych dros dro', wedi hen ddiflannu.

Mae'n amhosib peidio â chrybwyll castell Maenorbŷr; dyma, yn ôl Gerallt Gymro, 'y man mwyaf dymunol yng Nghymru . . . gwlad ŷd, pysgod, gwin ac awyr iach'. Mae'r castell presennol rhwng y pentref a'r traeth sydd rhwng dau bentir ysgythrog o gyfnod diweddarach na Gerallt, ond yma y magwyd y gŵr a grwydrodd Gymru yn 1188 gan ysgrifennu hanes y daith a hanes y wlad mewn dwy gyfrol. Gresyn na fyddai hanner dwsin o rai tebyg iddo wedi gwneud yr un peth ar gyfnodau gwahanol. Er mai rhyw chwarter Cymro oedd Gerallt neu Giraldus Cambrensis, roedd ganddo ddiddordeb mawr yng Nghymru er nad oedd mae'n debyg yn hyddysg yn y Gymraeg. William de Barri, ceidwad Castell Penfro ac Angharad, merch i Gerald de Windsor a'r dywysoges Nest, oedd ei rieni. Roedd yn gryn ysgolhaig; treuliodd gyfnod ym Mharis a bu draw i Rufain dair gwaith. Dywedir ei fod yn ddyn a siomwyd ac mai dyma'r rheswm y bu'n ysgrifennu. Roedd

Aderyn y pâl, ffwdanus ei natur a doniol ei liw

Creigiau cochion Presipe, ger Maenorbŷr

Ynys Sgomer

a'i fryd ar fod yn Esgob Tyddewi, ac yn wir fe'i henwebwyd fwy nag unwaith, ond hwyrach oherwydd ei gydymdeimlad at Gymru a'r ffaith ei fod yn ddiwygiwr crefyddol – roedd am weld Tyddewi yn cael safle cydradd â Chaer-gaint o fewn yr eglwys – ni ddyrchafwyd mohono i'r uchel-swydd a ddeisyfai.

Mae'r rhan hon o'r wlad yn gyfoethog. Mae yma diroedd breision a llawer o dyfu cnydau, ac arwydd hefyd o ryw hen ffordd o fyw yw'r caeau hirion main ger pentref Maenorbŷr, sy'n hen bentref Normanaidd ei batrwm.

Ger Penalun, yn ôl i gyfeiriad Dinbych-y-pysgod, y gwnaed llawer o arbrofi llwyddiannus gyda thyfu tatws cynnar. Ymhlith yr arloeswyr roedd Louis Thomas a P. W. Eyre, cyd-awduron y llyfr difyr, *Early Potatoes* a gyhoeddwyd yn 1951.

Tu draw i Faenorbŷr, ar draws bae eang a'i aml draethell rhwng clogwyni a phentiroedd tal, mae Pen y Stagbwll yn codi fel rhith o'r môr. Gerllaw mae un o draethau hyfrytaf sir Benfro ac arno'r enw rhyfedd, Barafundle. 'Does dim modd mynd â char yn agos at y lle, ac mae hynny a'r twyni a'r clogwyni coediog, y traeth o dywod perffaith a'r dyfroedd clir a glân yn dâl am gerdded i'r llecyn hudolus hwn. Gwelais erthygl bapur newydd flynyddoedd yn ôl yn cynnig mai hwn oedd un o gyfrinachau gorau Penfro os nad y glannau Cymreig! Yn 2006 fe'i cyhoeddwyd yn llecyn delfrydol, yn rhagori ar Glyndebourne a Royal Ascot ymhlith eraill. Ddwy flynedd cyn hynny roedd y traeth yma, yn ôl un arolwg, ymhlith y dwsin o draethau gorau yn y byd.

Ar un amser, roedd Barafundle yn draeth personol i'r Cawdoriaid, perchnogion plasty a stad y Stagbwll gerllaw. I'r gogledd adeiladwyd harbwr bychan gan y teulu, a oedd yn ddigon cefnog i fewnforio eu glo eu hunain i gynhesu eu plasty anferth a godwyd yn 1735 ac a ehangwyd yn 1845. Yn anffodus gwelwyd dyddiau blin, a daeth machlud ar lewyrch y teulu – yn wir chwalwyd yr hen blas yn 1963. Bellach dim ond y stablau a'r gerddi sy'n arwydd o'r mawredd a fu. Fel llawer llecyn tebyg mae'r cyfan erbyn hyn ym meddiant yr Ymddiriedolaeth Genedlaethol. Roedd i'r stad hanes rhyfeddol o gofio fod tirfeddiannwr o'r Alban wedi ei hetifeddu trwy briodi merch y stad, ac i'r teulu hwnnw wedyn etifeddu Gelli Aur yn Nyffryn Tywi wedi i ddau gyfaill, meibion y teuluoedd, wneud eu hewyllysiau i'w gilydd tra oeddent ar daith ddigon peryglus trwy Ewrop.

Efallai mai prif waddol y teulu yw'r llynnoedd yn Bosherston. Tri llyn, 80 erw o arwynebedd, a grëwyd wrth adeiladu argae bychan lle'r oedd y twyni a'r môr yn bygwth cau'r hafn. Mae'r llynnoedd rhwng y llethrau coediog yn perthyn i fyd arall, yn sicr nid i fyd y glannau. Er ymweld â'r lle sawl gwaith dros y blynyddoedd, ni lwyddais hyd yma i weld soseri serennog liliau'r dŵr, sy'n britho rhannau o'r llynnoedd, yn eu gogoniant.

Gogoniant gwahanol sydd i'r glannau draw i'r gorllewin. Yn aruthredd serth y clogwyni calchfaen a'u ffurfiau pensaernïol

Adar y môr a foddwyd mewn olew yn Freshwater East, Chwefror 1996

naturiol y mae eu harddwch, os cewch chi gip arnynt. Dyma ardal y staciau a'r pontydd carreg, y bwâu a'r mordyllau, lle mae'r môr yn poenydio'r graig yn ddyddiol nes dod o hyd i wendid; ond nid pawb a gaiff eu gweld gan ein bod bellach ar benrhyn Castellmartin, lleoliad meysydd tanio'r Weinyddiaeth Amddiffyn. Dyma ardal y fuwch ddu Gymreig, galed ei natur a hael ei chynhaliaeth i'w llo, a ddaeth yn sail i frid y Fuwch Ddu Gymreig.

Yma cipiwyd chwe mil o erwau o dir yn 1939, a hynny heb i neb bron godi ei lais heb sôn am godi bys. Gan mai tenantiaid oedd ar y ffermydd 'doedd ganddyn nhw fawr o hawliau. Yn yr 1960au daeth yr Almaenwyr a'u tanciau yma i ymarfer ac er iddyn nhw adael yn 1996 mae rhan fawr yn dal yn gaeedig, y ffermydd a'r adeiladau'n adfeilion a Llwybr yr Arfordir yn mynd groes-gongl ar draws y penrhyn o'r Stagbwll draw i ardal y twyni eang a Freshwater West.

Eithriadau prin ydi'r caniatadau a roddir i ymweld â'r glannau yma, ac mae'r siom a gefais unwaith o fethu â cherdded ymyl y clogwyn flynyddoedd yn ôl yn dal i bigo.

Ar dro bûm heibio i'r ddau dŵr o galchfaen; tybed nad Colofnau'r Gwylogiaid fyddai'n enw addas ar Elegug Stacks a gerllaw mae Pont y Creigiau, yr enwocaf o'r amryw bontydd craig sy'n bodoli, a'r ogof neu'r hollt a elwir Llam yr Heliwr. Byddai angen mwy o ryfyg i'w mentro na hyd yn oed i ddringo rhai o'r clogwyni gerllaw. Nid gormod dweud fod rhai o ddringfeydd glannau Penfro, a'r clogwyni calchfaen yma yn benodol, gyda'r gorau o ddringfeydd unrhyw arfordir ar Ynys Prydain.

Dyma hefyd ardal y capel bach ugain troedfedd wrth ddeuddeg a gysegrwyd i Sant Gofan. Prin, yn ôl traddodiad, y medr neb gytuno ar sawl gris sy'n dringo i lawr y llethr serth tuag ato. Yn ddieithriad mae'r cyfrif yn wahanol ar y ffordd yn ôl i'r hyn ydoedd ar y ffordd i lawr.

O benrhyn Angle draw dros y dŵr, dacw benrhyn Dale, a rhwng y ddau yr allwedd i Aberdaugleddau. Ffwlbri yw holi sawl llong a sawl tunnell o nwyddau sydd wedi mynd a dod rhwng y ddau benrhyn, i gyrraedd dociau Aberdaugleddau a Neyland ar y lan ogleddol, Doc Penfro ar yr ochr ddeheuol, neu hyd yn oed tref Penfro yng nghysgod ei chastell yn y gorffennol pell.

Mae'r aber yn troelli yn ei blaen cyn hollti'n ddwy yr ochr uchaf i Langwm – i'r gorllewin Cleddau Wen ac i'r dwyrain Cleddau Ddu. Cyn codi Pont Cleddau roedd rhaid teithio hyd at Hwlffordd ar y naill law a Phont Canaston ar y llall i groesi'r ddwy afon. Mae ugain milltir a mwy o ddŵr dwfn, o geg yr aber i'r man pellaf, yn nadreddu fel tafod fforchog y ddraig a'i waniad yn hollti'r sir yn ddwy. 'Does yr un aber arall yng Nghymru yn cymharu ag aber y ddwy afon yma; dyma'r tebycaf sydd gennym i ria neu *fjord* lle boddwyd dyffryn gan y môr wedi i'r rhew mawr olaf gilio. Mewn mannau mae dyfnder y dŵr dros hanner can troedfedd.

Yn ôl Horatio Nelson, Aberdaugleddau oedd y 'porthladd gorau yn holl wledydd cred', ac meddai Shakespeare yn *Cymbeline*: 'How far it is to this same blessed Milford; and, by the way, tell me how Wales was made so happy as t'inherit such a haven . . .'

Bu'r aber yn hafan naturiol i longau ar hyd y canrifoedd. Dywedir i un o frenhinoedd y Llychlynwyr aeafu yma gyda 23 o longau rywdro yng nghanol y nawfed ganrif. Cododd y Normaniaid gastell enfawr ar bentir hawdd ei amddiffyn yn aber afon Penfro. Yn y castell hwn y ganwyd Harri Tudur pan oedd ei fam ar ymweliad â'i brawd-yng-nghyfraith, ac yn ei ôl yma y daeth Harri o Ffrainc yn 1485 i gychwyn yr antur fawr a'i gwnaeth yn frenin Lloegr wedi brwydr Bosworth. Cyn hynny, yn 1171, roedd Harri II wedi codi hwyl gyda phedwar cant o longau a thros bedair mil o ddynion i ymosod ar Iwerddon; dilyn ei esiampl wnaeth Cromwell yn 1649 gyda chant o longau ac yma o Ffrainc hefyd y daeth llongau cefnogwyr Glyndŵr adeg gwrthryfel 1405.

Am ganrifoedd bu masnachu ffyniannus mewn nifer o fân borthladdoedd fel Pennar, Lawrenni, Landshipping a Cosheston cyn adeiladu porthladdoedd mawr ein dyddiau ni. Ar un adeg yn dilyn dyfodiad y Fflemiaid allforiwyd tunelli o wlân cyn i lo a chalch ac yna pysgod ddod yn bwysig.

Ond heddiw, olew ac yn fwy diweddar, nwy sydd yn cael eu mewnforio i'r hafan; mae'r rhain wedi dod â pheth budd a chyfoeth economaidd ac wedi troi Aberdaugleddau'n borthladd ynni o bwys.

Bu rhaid i drigolion Rhoscrowdder godi pac a gadael i wneud lle i un o burfeydd mawr yr ochr ddeheuol, ac yn union gyferbyn, y naill ochr a'r llall i dref Aberdaugleddau, mae purfeydd eraill. Tyrau a thanciau a fflamau nwy sy'n britho'r gorwel a goleuo'r nos, ond er prysurdeb y tanceri a'r llongau mawr mae rhyw hud i'r aber ac i ambell lecyn annisgwyl o braf. Un o'r rheini yw Pwllcrochan, dafliad carreg o un o'r purfeydd mwyaf. 'Does yma fawr mwy na mynwent ac eglwys fechan wledig ar gyrion cwm coediog yn arwain at y dŵr; mae hanner yr egwlys wedi'i gwyngalchu a thŵr sgwâr yn newid ei ffurf yn y rhan uchaf i orffen yn bigfain. Unwaith, ar ôl bod ar drywydd tyfwr tatws, a oedd yn Gymro Cymraeg ac yn denant ar un o ffermydd y burfa, gwelais yr enw ar y map a gelwais heibio gan ddotio ar y llecyn a'r enw.

Draw dros y dŵr ym Milffwrd, neu Aberdaugleddau, mae'r cei wedi'i enwi ar ôl Nelson a ddaeth yma yn 1802. Roedd yn gyfaill mawr i Syr William Hamilton a briododd Catherine, etifedd teulu Barlow o Slebets, y perchnogion tir lleol. Gyda'i nai Charles Francis Greville roedd Syr William a'i fryd ar greu porthladd o bwys yma a sicrhodd Ddeddf Seneddol i ganiatáu iddo wneud hynny. Yn ddiweddarach daeth Emma, ei ail wraig, yn ail wraig i Nelson, ond Greville yw arwr a sylwedd y stori gan mai ef, gyda chymorth Ffrancwr o'r enw Barrallier, a aeth ati i adeiladu'r dociau a'r dref a dechrau adeiladu llongau rhyfel. Mae enwau dwy o'r prif strydoedd, Hamilton a Charles, yn coffáu'r ddau.

Dyddio'n ôl i'r cyfnod yma y mae Tŷ Cwrdd y Crynwyr lle bu'r bardd Waldo Williams, ar gyfnod mwy diweddar, yn addoli am flynyddoedd. Fe'i hadeiladwyd wedi i'r arloeswyr berswadio 15 o deuluoedd porthladd Nantuckett, y ganolfan hela morfilod ar arfordir dwyreiniol America, i ddod yma i gychwyn menter debyg. Roedd hi'n ddyddiau anodd ar yr helwyr – a'r wlad yng nghanol trafferthion dyrys y gwrthryfel yn erbyn Prydain, a hwythau fel Crynwyr yn heddychwyr – ac fe'u temtiwyd i ddod draw yma gydag addewid y caent Dŷ Cwrdd.

Y bwriad oedd ceisio creu canolfan hela morfilod yn yr aber ac yn wir, am gyfnod, bu llongau teuluoedd fel Rotch, Starbuck a Folger yn hwylio oddi yma i gefnfor y de. Mae rhai o adeiladau Aberdaugleddau yn dal i adleisio dylanwad pensaernïaeth Nantuckett, ac mae amgueddfa'r dref heddiw wedi'i lleoli yn y warws a ddefnyddid i gadw'r olew o'r morfilod. Nid dyma'r unig gysylltiad Cymreig â hela morfilod. Yn yr ugeinfed ganrif bu rhai o forwyr Môn, a Chaergybi yn arbennig, yn hela morfilod i lawr o gwmpas yr Antarctig, gan hwylio o ogledd-ddwyrain Lloegr.

Cyn codi Pont Cleddau, sy'n cysylltu Neyland a Doc Penfro, roedd taith o 28 milltir rhwng y ddwy dref a wahenir gan ryw hanner milltir o ddŵr. Agorwyd y bont yn 1975 ar ôl trafferthion rai blynyddoedd ynghynt pan ddisgynnodd rhan ohoni a lladd ac anafu nifer o weithwyr.

Tref o ddechrau'r bedwaredd ganrif ar bymtheg yw Doc Penfro, lle bu Dociau'r Llynges am gyfnod o dri chwarter canrif ond a gaewyd mewn cyfnod economaidd anodd. Oherwydd yr angen am ddiogelwch i'r dociau yr adeiladwyd y ddwy gaer; saif tyrau Martello yma ac mewn sawl man arall ar hyd yr aber, ac am flynyddoedd bu'r fyddin yma. Yn Awst 1940, yn ystod yr Ail Ryfel Byd, bomiwyd yr ardal a bu tân mawr yn llosgi am 18 diwrnod. Pa ryfedd fod yr ardal yn darged i awyrenau'r gelyn a hithau ar y pryd yn gartref i'r fflyd fwyaf yn y byd o awyrlongau Sunderland, y 'flying boats'. Hanes diweddar o ddiweithdra sydd wedi bod yma, er bod fferi Iwerddon sy'n mynd i Rosslare wedi dod â pheth bywiogrwydd yn ôl.

Yn 2010 daeth 43 miliwn tunnell o gargo i'r glanfeydd yn Aberdaugleddau trwy symudiadau 3,000 o longau. Mae cwmnïau Valero a Murco'n dal i dderbyn olew a bellach mae glanfa bwysig yma i nwy hylif, a daw 25% o anghenion olew a 30% o anghenion nwy gwledydd Prydain i'r hafan. Felly, mae'n dal yn un o borthladdoedd pwysicaf y Deyrnas Gyfunol. Fel y dywedodd y Llyngesydd Nelson, 'does unlle tebyg i'r ddyfrffordd yma, er bod pryder naturiol am lygredd a damweiniau fel y rhai a gafwyd yn y gorffennol. Mae'r atgof am ddamwain y *Sea Empress* yn dal yn fyw iawn.

Y mae darnau o'r llwybr yn y fan yma y bydd rhai cerddwyr am eu hosgoi, yn enwedig yn y mannau poblog diwydiannol, ond er bod y tyrau a'r staciau, y tanciau a'r milltiroedd pibelli, a'r tanceri anferth wrth y glanfeydd yn wahanol i unrhyw beth arall a welwch ar lannau Cymru, peidiwch â'u hosgoi, a pheidiwch â gresynu eu bod nhw yma, da chi. Yma maen nhw i'n gwasanaethu ni a'n ffordd o fyw. Barnwch hynny yn gyntaf cyn dim arall. Wrth gwrs, mae angen gofal amgylcheddol a datblygu gofalus, ond yma y maen nhw.

Dyfroedd euraidd Aberdaugleddau

Creigiau Church Doors, Shrinkle Haven

Ynys Sgogwm

4 GOGLEDD PENFRO

O Farloes hyd Ben Cemais

Barddoniaeth, goleudai a Jemeima

Pen Strwmbwl

I'w herbyn hi mae'r môr yn gwthio,
Mae'r gwynt yn rhedeg trosti'n rhydd

Wn i ddim a fu R. Williams Parry'n crwydro glannau sir Benfro ai peidio, ond gallaf yn hawdd gredu mai yma y clywodd 'ru y môr ar benrhyn tragwyddoldeb mawr'.

I ran ogleddol y sir y perthyn y penrhynnau mawr, pentiroedd a lwyddodd i wrthsefyll holl stormydd y de-orllewin a'r grym a ddaw ohonynt i fwrw llifeiriant tonnau'r Iwerydd yn eu herbyn. Creigiau caled y methodd y milenia â'u dinistrio hyd yma.

Dau o'r penrhynnau mwyaf yw penrhyn Marloes a phenrhyn Dewi a'r ynysoedd gerllaw. 'Gwe arian ar ei goror yw mân ynysoedd y môr' meddai Waldo Williams, bardd y sir, wrth gyfeirio at ynysoedd Sgogwm a Sgomer yn y de ac Ynys Dewi yn y gogledd, ynghyd â'r mân ynysoedd a chreigleoedd ag enwau fel The Smalls a Hats and Barrels sydd ymhell tu draw i Gwales lle mae dros 32,000 o barau o huganod, yr ail nythfa fwyaf yn y byd. Ynys a wyngalchwyd dan garthen drwchus o giwana yw Gwales, ynys sy'n disgleirio yn yr haul, ond tu hwnt iddi adeiladwyd goleudy cyntefig i rybuddio am beryglon The Smalls, y bawd pellennig o graig 21 milltir o Dyddewi, mor gynnar â 1776. Codwyd yr adeilad gwreiddiol ar naw o goesau neu bileri a'r môr yn golchi o'u hamgylch. Erbyn dechrau'r ganrif ddilynol roedd yno adeilad tipyn mwy sylweddol â dau ŵr yn unig yn gyfrifol am y golau. Bu farw un ohonynt gan adael y llall mewn cryn bicil ynglŷn â beth i'w wneud â'i gorff. Gwyddai amryw nad oedd y ddau ar delerau rhy dda â'i gilydd, ac felly yn hytrach na'i fwrw i'r dwfn mewn sachliain penderfynodd ei gadw rhag ofn iddo gael ei gyhuddo o'i lofruddio. Defnyddiodd goed mewnol y goleudy i wneud arch a rhaffu honno wedyn y tu allan wrth reilen y golau, ac er i longwyr amryw o longau sylwi ar y blwch pren, wrth basio heibio feddyliodd neb ddim mwy am y peth a bu'r gwyliwr druan yno yng nghwmni'r ymadawedig nes iddo gael ei ryddhau gan y gwylwyr ar ddiwedd ei dwrn. Yn sgil y digwyddiad erchyll hwnnw y penderfynodd yr awdurdodau fod angen tri gŵr ar ddyletswydd ymhob goleudy o hynny ymlaen.

Rhai eraill o'r creigiau yw'r Bishops and Clerks ger Ynys Dewi a'r Hen and Chicks, nid nepell o Aber Llydan. Mae'r rhain i gyd, ac eithrio'r Iâr a'i Chywion, ar gyrion bae anferthol Sain Ffraid, wyth milltir hir o benrhyn i benrhyn a'r môr wedi traflyncu brathiad anferth o dir sy'n ymestyn yn agos at ddeg milltir o eithafion yr ynysoedd mwyaf i draethau niferus y bae.

Mae nifer o elfennau'n cyfrannu tuag at ein harfordir, ac mae'r cyfan i'w gweld yma. Mae'r tonnau nerthol a ddaw i mewn i'r bae yn ystod ac yn dilyn stormydd mawr yn ergydio'n ddidrugaredd. Cafwyd llifogydd achlysurol mewn pentrefi fel Niwgwl pan fylchwyd y stormdraeth, yr amddiffynfa o dwyni cerrig a graean a grëwyd gan stormydd y gorffennol ac sy'n diogelu'r tir mewn stormydd mwy diweddar. Un o'r achlysuron olaf i hynny ddigwydd oedd yn 1989 pan sgubwyd un o gerbydau'r heddlu a'i fwrw din dros ben sawl gwaith cyn iddo syrthio'n ôl ar ei olwynion. Rhan o'r chwedl yn nhafarn y Duke yw fod y golau glas yn dal i fflachio ar ei do wedi'r trybowdian. Ond 'doedd hynny'n ddim o'i gymharu â storm a fwriodd y pentref yn niwedd Tachwedd 1703 pryd y chwalwyd y dafarn ac y difethwyd darn mawr o'r traeth. Yn y storm honno dywedir bod 150 o longau wedi'u colli o gwmpas dyfroedd Ynys Prydain a bod 30 ar lannau sir Benfro'n unig, ac i wyth mil o bobl golli eu bywydau. Darganfod gwendidau y mae'r môr, ac mae hynny'n haws pan fo'r creigiau'n feddal fel yn y bae hwn. Fu'r môr fawr o dro yn ymosod ar yr haenau o dywodfaen a charreg laid, y creigiau gwaddodol meddal sy'n ei chael hi'n anos gwrthsefyll grym y lli.

Ond mae stori'r penrhynnau'n wahanol a'u creigiau'n perthyn yn nes i greigiau'r emyn, i 'graig yr oesoedd'. Tywodfaen o'r cyfnodau Ordoficaidd a Defonaidd gyda chreigiau allwthiol ac ymwthiol igneaidd o'r cyfnod cyn Gambriaidd sydd yn y

Mynd am dro ar draeth Niwgwl

de bod cyfres o greigiau cyn Gambriaidd a Chambriaidd o darddiad igneaidd a gwaddodol yn sail i'r penrhyn gogleddol. Gwarchodfeydd natur yw'r ynysoedd bellach, ond am flynyddoedd lawer, o gyfnodau cyn hanes tan yn ddiweddar, caent eu ffermio. Mae gwaith archaeolegol yn dangos olion cartrefi a chaeau a'r lluniau a dynnwyd o'r awyr, fel mewn sawl man arall, yn dangos llafur ein cyndeidiau dros ddwsinau o ganrifoedd.

Treuliodd y naturiaethwr a'r awdur R. M. Lockley ran o'i oes yn byw ar Ynys Sgogwm, ac ef yn anad neb arall oedd un o'r rhai mwyaf brwd o blaid llwybr arfordirol i sir Benfro. Roedd yn gefnogol i'r Parc Cenedlaethol a sefydlwyd yn 1952, ugain mlynedd cyn y llwybr. Llwyddiant y llwybr yma fu'n sbardun i sefydlu llwybrau hirion eraill, ac, yn y diwedd, y freuddwyd o gael llwybr ar hyd holl arfordir Cymru gan gysylltu â Llwybr Clawdd Offa i gylchu'r wlad. Wn i ddim am unrhyw wlad arall yn y byd sydd â llwybr yr holl ffordd o gwmpas ei ffiniau. Roedd Lockley, a fagwyd yng Nghaerdydd, wedi cymryd prydles ar Ynys Sgogwm ond buan y sylweddolodd fod ysgrifennu yn talu'n well na ffermio. Ef fu'n gyfrifol am sefydlu arsyllfa adar Sgogwm a gwnaeth waith arloesol ar fywyd y gwningen, ac ar hanes adar fel aderyn drycin Manaw, y pâl a'r pedryn drycin. Roedd ei ymchwil yn sail ac yn ysgogiad i eraill ei ddilyn.

Bu Robin Pratt, cyfaill i mi a naturiaethwr arall da sy'n ffermio gwanacos ac alpacas am eu gwlân sidanaidd ger Abergwaun, yn ffermio ar Ynys Dewi rhwng 1966 ac 1980. Treuliodd gyfnod cyn hynny ar Enlli yn ffermio a physgota a'r môr, meddai, yn feistr caled; ond roedd yn falch ei fod wedi treulio cyfnod byr yn pysgota heb beiriant, gan ddibynnu ar nerth ei gyhyrau wrth dynnu. Dyna'i air am rwyfo a dyna sut y daeth i ddeall ffyrdd y môr, y cerrynt a'r llanw a dylanwad y gwynt. Roedd gofyn i'r synhwyrau fod yn effro, gan gadw golwg ar yr awyr hefyd yn enwedig ar gyfnodau o dywydd cyfnewidiol, ac yn bwysicach na dim oedd gwybod pryd i ildio a throi yn ôl. Dywedodd ei fod yn falch o fod wedi gweld cyfnod pan oedd pobl yn ymylu ar fod yn hunangynhaliol, ond mae'r traddodiad hwnnw o fyw bywyd syml, yn ôl Robin, wedi ei golli bellach o'r glannau fel o'r mynyddoedd.

Un traeth yn unig ydi Niwgwl ym mhen uchaf y bae, mae yna lefydd eraill atyniadol hefyd fel Little Haven a Broad Haven, Druidston, a Madoc a Nolton Haven – i ymwelwyr mae'r bae a'r traethau'n nefoedd.

Draw ar arfordir y gogledd, i gyfeiriad Tyddewi, mae Solfach ym mhen uchaf dyffryn a foddwyd – dyma, meddai rhywun, un o gilfachau hyfrytaf arfordir y sir. Mae'n bentref poblogaidd sy'n denu'r miloedd, a'r aber yn yr haf yn llawn cychod er bod y llanw a'r trai yn rheoli eu mynd a'u dod. Ar un adeg câi llongau eu hadeiladu yno ac roedd cyswllt uniongyrchol rhwng Solfach a gogledd America.

Bu Tyddewi'n destun siarad erioed. Pa sawl awr o wewyr a dreuliwyd wrth i gyfeillion, perthnasau a chydnabod baratoi i wahanu ar ddechrau pererindod i Dyddewi? Ac mae'r ddinas

Simdde pwll glo, ger Nolton Haven

fechan ar y penrhyn mwyaf gorllewinol yng Nghymru yn dal i ddenu; dywedir y daw tua thri chan mil o bobl yma'n flynyddol. Mae'r eglwys gadeiriol yn drawiadol o ddisylw ar un ystyr gan iddi gael ei hadeiladu o'r golwg yn y dyffryn islaw. Mewn llecynnau amlwg, fel arfer, y codir eglwysi cadeiriol mawreddog fel hyn, ond nid felly Gadeirlan Dewi. Serch hynny, mae hon yn eglwys drawiadol dros ben, yr eglwys fwyaf yng Nghymru ac ynddi nifer o nodweddion difyr. Ysywaeth mae Plas yr Esgob yn adfail, ond adfail trawiadol. Teg dweud fod cyflwr yr eglwys heddiw yn well nag y mae wedi bod ar unrhyw adeg.

Saesneg a glywir amlaf o ddigon heddiw ar y stryd yn Nhyddewi a thystiolaeth yn awgrymu fod yr iaith ar drai yn yr ardal. Dyna ddywed Hefin Wyn yn *Pentigily* a dyna ddywedodd un o blant Tyddewi hefyd, y cyn-Archdderwydd Jâms Niclas, yn Eisteddfod Tyddewi 2002. 'Y mae'n brofiad ysgytwol i mi pan ddychwelaf yma i sylweddoli bod darn o wareiddiad Cymraeg wedi ei ddifrodi mewn hanner canrif.' Ond nid Tyddewi yw'r unig le y digwyddodd hynny.

Ar wahân i'r hanesion sy'n gysylltiedig â Dewi a'r eglwys mae'r lle a'r penrhyn yn gyforiog o hanes. Ceir siamberi claddu yng Nghoetan Arthur a Charn Llidi a fferm gaerog yng Nghlegyr Boia lle bu cenedlaethau o bobl yn byw o gyfnod yr oes Neolithig hyd at yr Oes Haearn, yn wir, mae sawl caer bentir yn yr ardal. Mae yma draethau a chilfachau ar hyd y glannau ac o draeth Porth Mawr ar un amser roedd cyswllt cyson ag Iwerddon. Mae'n bosib gweld bryniau Iwerddon o ben Carn Llidi hyd yn oed, yn ôl y gwybodusion.

O Gaerbwdi a Chaer-fai y cafwyd cerrig i adeiladu'r eglwys a draw wedyn ymhellach mae Bae y Santes Non. Non oedd mam Dewi a cheir capel bychan yma wedi'i gysegru iddi am mai dyma, yn ôl traddodiad, fan geni Dewi, ein nawddsant.

Porth Mawr yw'r traeth sylweddol olaf nes y cyrhaeddwn Drefdraeth ac fel yr hed y fulfran mae hynny 23 milltir i ffwrdd. Ond rhwng y ddau le mae arfordir dramatig iawn yn gyforiog o hynodion baeau a cherrig mawr, tyllau crancod a phenrhynnau anhygyrch, ac ar y ffordd fe biciwn heibio hanner dwsin o lefydd.

Trueni fyddai pasio heibio i Abereiddi a'r pwll chwarel a foddwyd gan y môr i greu'r Glasbwll, neu'r Blue Lagoon, sy'n wastadol las ei liw diolch i fineralau arbennig yn y creigiau. Ymhen deugain munud o gerdded, dyma Borth-gain a'i harbwr a'r hen hopranau brics enfawr a arferai ddal cerrig mâl i'w hallforio. Gem o bentref bychan yw hwn, lle i hamddena ar ddiwrnod braf a llain o dir glas yn ei ganol.

Ymlaen eto, a dyma un o bentrefi enwocaf Cymru, pwy na chlywodd am Drefin? Mae'r diolch i Crwys, y bardd a'r cyn-Archdderwydd o Graig-cefn-parc a aeth wedi pregethu un nos Sul yn y pentref am dro i lawr at y môr ac adfeilion yr hen felin. Wedi ei gweld yn ei segurdod a'i thrueni fe ysgrifennodd gerdd atgofus am y dyddiau byrlymus pan ddeuai 'gwenith gwyn Llanrhian' yma i gael ei falu yn y felin ar fin y môr. I'r ymwelwyr di-Gymraeg a ddaeth heibio pan oeddwn i yno ddiwethaf roedd rhamant yn y murddyn. Y cwbl a welais i oedd:

> Dilythyren garreg goffa
> O'r amseroedd difyr gynt.

Dywedir y bu melin yma am bum canrif, ond daeth y cyfan i ben yn 1918.

Draw ymhellach mae Castell Coch, caer bentir ac un o dros hanner cant ar hyd glannau sir Benfro. Mae rhai mewn gwell cyflwr na'i gilydd ac eraill fel Great Castle Head a Bae Flimston yn y de bron wedi'u colli'n llwyr. Maen nhw'n dyddio'n ôl i'r Oes Haearn ond mae cryn amheuaeth ynglŷn â'u pwrpas. Mae rhai o'r farn iddynt fod yn safleoedd amddiffynnol dros dro mewn cyfnodau cythryblus, ac eraill yn credu iddynt fod yn gartrefi parhaol ond yn methu â deall pam y'u codwyd mewn safleoedd

mor beryglus a chlogwyni serth i dri chyfeiriad. Mewn ambell safle mae'n bosib mynd i lawr at y dŵr, ond nid o fannau eraill fel y Castell Coch, ac onid oedd methu â chyrraedd y dŵr yn ychwanegu at y trafferthion? Neu tybed nad oeddent yn ddim mwy na safleoedd arbennig rhwng môr a thir, mannau cysegredig i addoli a chynnal seremonïau, dyna'n sicr yr awgrym mewn lle mor gyfyng a chreigiog â Dinas Mawr uwchben Pwll Deri.

Treuliais orig unwaith yn Aber-mawr a'r niwl o'r môr yn distaw gofleidio'r hen bentiroedd sy'n creu'r bae tawel diarffordd yma. Islaw, clep dawel gyson y don yn torri ar letraws, a'i heco'n cerdded o naill ben y traeth i'r llall. Ar brynhawn o osteg tawel roedd yno naws arbennig, ond dywed y draethell o gerrig stori wahanol, stori o ganrifoedd o stormydd a'u cariodd yma. Crëwyd y stormdraeth yma yn ôl ym mis Hydref 1859 mewn drycin mawr, ar y pumed ar hugain o'r mis synnwn i ddim, sef noson storm y *Royal Charter* a ddrylliwyd ym Môn.

Yn Aber-bach, neu Aber Hesgwm fel y'i gelwid weithiau, bu cyrch cyffuriau llwyddiannus gan yr heddlu ar noson yn nechrau Tachwedd 1986 a charcharwyd nifer o'r criw, a oedd ynghlwm wrth smyglo canabis, un ohonynt am 22 flynedd. Stori wahanol oedd stori Operation Seal Bay, dyna enw'r heddlu ar ymgyrch dair blynedd ynghynt ar Draeth Coch a Chell Hywel i'r gogledd o Drefdraeth lle daliwyd criw arall. Aethant hwythau ati i greu cell danddaearol i lawr ger y môr ar gyfer derbyn a chadw cyffuriau i'w dosbarthu. Roedd y gell yn wag ar noson y cyrch ond diolch i ddycnwch yr heddlu a dogn o lwc carcharwyd criw mawr o bobl am gynllwynio. O gofio am yr achosion hynny, tybed pa sawl llong a ddaeth dan lenni'r nos i mewn i'r traethau anhygyrch yma heb i neb eu gweld?

Ond gadewch i ni brysuro ymlaen at Bwll Deri a'i glogwyni serth sy'n disgyn gannoedd o droedfeddi i'r môr, a llwybr y glannau yn nadreddu ar draws y llechwedd uwch ei ben. Ar wahân i'r golygfeydd, dewch yma i ddarllen cerdd dafodieithol

Traeth Llyfn, Abereiddi

Dewi Emrys i'r lle. Mae'n rhaid ei fod yn hoff o'r rhan drawiadol hon o arfordir gan mai yma y codwyd maen coffa iddo ac ef, wrth gwrs, a weithiodd yr englyn godidog i'r gorwel sydd a'i esgyll 'Hen linell bell nad yw'n bod, / Hen derfyn nad yw'n darfod' yn canu'n y cof bob amser mewn mannau fel hyn a'r golygfeydd eang dros y môr.

Yn gymharol ddiweddar cerddais o Aber-mawr i Abergwaun ac ym Mhwll Deri cyfarfûm â dwy chwaer o'r Almaen a cheisio esbonio am Dewi Emrys, a'i gerdd i Bwll Deri. Sôn am y Gymraeg, y dafodiaith ac egluro nad oedd ond Dai Beca, yn ôl y bardd, wedi cyrraedd y tamaid traeth 'rhyw drigen llâth' a oedd gannoedd o droedfeddi islaw. Gobeithio y teithiodd y stori am y bardd o Bwll Deri yn ôl i'r Almaen. Ie, lle i hel meddyliau, lle i hamddena os nad yw'r bendro yn fister arnoch ac i sgwrsio cyn bwrw ymlaen tuag at un o'r ardaloedd mwyaf anghysbell ar y llwybr. I Eisteddfod Genedlaethol Abertawe 1926 y mae'r diolch am y gerdd anfarwol i Bwll Deri. Gwnaeth Dewi Emrys yn dda yn yr eisteddfodau, a'i lwyddiant yn cipio pedair Cadair a Choron a argyhoeddodd yr awdurdodau i gyfyngu'r enillion i ddwy o bob un yn y dyfodol, ac felly y mae hyd heddiw.

Mewn mannau mae'r gwyddfid a'r bysedd cŵn yn drwch, a rhosyn bwrned a'i betalau hufennog dan wlith y bore yn odiaeth o hardd, ond ei goesau pigog yn waeth nag unrhyw ddraenen. Wrth edrych yn ôl mae'r gefnen uwch Pwll Deri fel cynffon rhyw ddeinosor mawr yn diflannu i niwlen ysgafn a ddaeth yn llechwraidd ddiarwybod o'r môr.

Mae'r bont sy'n croesi i Ynys Meicel, lle mae'r goleudy ym Mhen-caer, yn ddigon diogel er y gallai godi ofn ar ambell un. Os ydw i wedi cyfrif yn iawn mae 16 o oleudai yng Nghymru naill ai ar greigiau neu ynysoedd yn y moroedd cyfagos, ac maen nhw mewn lleoliadau godidog yn ddi-feth bron a'r goleudy ar Ynys Meicel yn eu plith, ac yn un o'r rhai olaf, yn 1908, i gael ei adeiladu yng ngwledydd Prydain. Ar ddyddiau brochus daw'r curlaw a'r gwyntoedd didrugaredd i fflangellu Pen-caer, y genlli'n llorweddol a blas yr heli'n cyrraedd y mannau uchaf ar Garn Fawr a'r copaon eraill wrth i'r trochion godi'n lluwch o ewyn. Pa ryfedd nad oes yr un goeden ym Mhen-caer, dim un. O dan wal y mynydd mae ardal o gaeau braf yn goleddfu tua'r môr a'r cloddiau cerrig rhyngddynt dan orchudd o gen a mieri. Pan mae'n braf mae'n odidog ond mae ambell ddiwrnod fel heddiw lle na ŵyr y tywydd beth i'w wneud, mae'r niwl a'r haul yn chwarae mig â'i gilydd.

O Ben Strwmbwl draw am Abergwaun daw'r llwybr sy'n cadw'n agos at y glannau â ni i le arbennig iawn. Yma yn ôl y garreg goffa ar bentir Carreg Wastad y glaniodd y Ffrancwyr ychydig dros ddau gan mlynedd yn ôl, a hwn ar 22 Chwefror 1797 oedd yr ymosdiad olaf ar dir mawr Ynys Prydain. 'Does dim dwywaith mai ar hap y glaniwyd yma, neu yn Aber Felin gerllaw; ni fyddai neb wedi mynd ati'n fwriadol i lanio llond pedair llong o filwyr yn y fath le. Sut bynnag, methiant fu'r ymdrech ac yn ôl y stori mae peth o'r diolch am hynny i Jemeima Niclas a'i chriw a lwyddodd i atal rhai ohonynt. Mae swm a sylwedd y gwirionedd, fel mewn llawer lle arall yn y sir hon, ynghlwm wrth chwedloniaeth leol. Rhai da am liwio a nithio hanesyn fu'r trigolion yma erioed, ond mae 'na gae yn dwyn yr enw Parc y Ffrensh yn yr ardal a thwll bwled mewn cloc wyth niwrnod yn Fferm Bristgarn, ac fe wyddom i sicrwydd mai yn Nhrehywel gerllaw yr oedd pencadlys y Ffrancwyr. Criw didrefn a gwyllt oedd yr ymosodwyr a mwy na'u hanner, ychydig wythnosau ynghynt, yn garcharorion yn Ffrainc. Bu fawr o drefn wedi'r glanio ac aeth y mwyafrif ati i ysbeilio ac anrheithio, ac felly criw o feddwon oedd gan y Cadfridog Tate, eu harweinydd o dan ei ofal. Fe allai pethau fod wedi bod yn wahanol gan i Thomas Knox, arweinydd y milwyr lleol, droi a ffoi cyn iddynt gael eu dwyn yn ôl yng nghwmni'r Arglwydd Cawdor a chatrawd arall. Ildio'n dawel wnaeth y Ffrancwyr yn y diwedd ar draeth Wdig ger Abergwaun. A phwy ond pobl y sir hon fyddai wedi mynd ati i adrodd y stori ar dapestri dros 30 llath o hyd a gymerodd bedair blynedd i 77 o bobl ei gwblhau? Y mae'r tapestri, fe ddywedir, a dyma'r jôc, yn debyg o ran maint a strwythur i Dapestri Bayeux yn Ffrainc sy'n adrodd hanes glaniad y Normaniaid yn 1066; er, wedi meddwl, adrodd hanes buddugoliaeth y mae'r ddau, goruchafiaeth y Normaniaid ar un a'r Cymry ar y llall.

Tref braf yw Abergwaun, ar fryncyn rhwng dau fae. Parrog a phorthladd y llongau ger Wdig ar y naill law a'r Cwm ar y llaw arall. Hawdd deall o grwydro'r cei pam y bu'r Cwm yn atyniadol i griwiau ffilmio. Yma y gwnaed *Halen yn y Gwaed* fel un o raglenni deniadol nos Sadwrn yn oes aur S4C, a dyma'r lle a ddewiswyd ar gyfer ffilmio *Under Milk Wood* a'r ffilm *Moby Dick*. Dywedir iddi gostio £4,000 i wneud y morfil. Ond os am weld braslun o hanes morwrol y dref, mae hwnnw i'w weld yn yr harbwr lle mae dechrau'r daith i longau Iwerddon; pysgota oedd yn bwysig yma unwaith, heddiw ymwelwyr a'r fferi sy'n cynnal y lle.

Y sgadan neu'r penwaig a roes y lle ar y map. Helltid y pysgod a'u gwerthu wrth y mwys, sef hen ffordd o bwyso sgadan, ar y cei. Roedd 520 o bysgod mewn mwys ac yn 1803 roedd cymaint â hynny yn werth hanner coron, sef deuddeg ceiniog a hanner. Roedd yma farchnad allforio ffyniannus i Iwerddon, Bryste a Môr y Canoldir. Agorwyd yr harbwr presennol yn 1906, ac yn niwedd Awst 1909 bu dathlu mawr pan ddaeth y *Mauritania*, llong cwmni Cunard yma, ar ôl croesi'r Iwerydd i Queenstown yn Iwerddon yn yr amser cyflymaf erioed.

Ond allwn ni ddim gadael Abergwaun heb gofio mai yma, pan fu'n athro ysgol, yr ysgrifennodd y cenedlaetholwr a'r llenor D. J. Williams gampweithiau hunangofiannol ei ieuenctid yn Rhydcymerau, sir Gaerfyrddin. Mae carreg heddiw i gofio'i gyfnod yma, a'i gyfraniad.

Draw o Abergwaun mae olion milwrol diweddar. Yn wir, rhwng meysydd awyr a chaerau, safleoedd magnelau a goleuadau dal awyrennau mae cryn hanes i'r glannau nid yn unig yn sir Benfro, ond mae'n rhyfedd cymaint sydd wedi diflannu mewn cyn lleied o amser. Yn sefyll yn herfeiddiol yn erbyn grym y tonnau dacw Ben Dinas; y naill ochr a'r llall iddo mae traethau Pwllgwaelod a Chwm yr Eglwys lle chwalwyd yr eglwys gan storm fawr 1859. 'Gollyngodd rhyw Seithennin donnau'r môr, / Tros ei hallor a'i changell hi,' meddai Gwenallt am weddillion eglwys Brynach Sant, ac fe ddaliwyd y gwyliwr yn hepian wedyn pan ddaeth storm ddiweddarach i ddifrodi'r fynwent.

Un o drefi bychain mwyaf poblogaidd y rhan hon yw Trefdraeth a'i strydoedd culion. Waeth pryd y dewch chi yma mae 'na ryw fynd a dod diddiwedd, hyd yn oed y tu allan i'r tymor ymwelwyr arferol.

I fyny oddi yno mae Ceibwr, lle nad yw'r môr byth yn llonydd. Cewch eich hudo yno gan yr adar, y creigiau ac ymchwydd y don ac un peth arall hefyd, y golau!

Un o'm hoff lecynnau yma, yw Pwll y Wrach. Syrthiodd to'r ogof fôr gan adael twll enfawr lle mae dygyfor swnllyd y môr yn fythol gyfeiliant i gri'r gwylanod. Ar dywydd mawr mae'r tonnau'n saethu i mewn ac yn ergydio'n erbyn cefn y twll gan fwrw'r trochion lathenni i'r awyr. Os mai boddi gwrach oedd y nod, dyma'r lle! Yn y gwanwyn mae clychau'r gog yn wrthgyferbyniad i'r cynnwrf yn y Pwll. Gerllaw collodd darn o'r tir ei afael a chreu rhyw hanner ynys, dyma Garreg Yspar, ac mae Cwm Ffynnon-alwm gerllaw a'i enw'n cyfeirio at halen mwynol y ffynnon a ddefnyddid fel diod i iacháu ac i lifo dillad.

A dyna ni, yn syth ar ôl Pen Cemais mae Llwybr Arfordir Penfro'n tynnu at y terfyn a bydd rhaid ffarwelio ag arwydd y fesen ar arwyddbyst y llwybr a llun y llurs ar fyrddau gwybodaeth Awdurdod y Parc. Daw aber afon Teifi a glannau Ceredigion i'r golwg, a beth am Fwlch y Dychryn fel enw trawiadol ar y bar yng ngheg yr afon? Mae Llandudoch islaw ac Aberteifi'n galw. Dywed rhai nad oes hafal i lannau Penfro; digon gwir, ond mae pethau llawn mor wych eto i ddod yng Ngheredigion.

Aber afon Teifi

Mulfrain gwynion yn heidio ar Ynys Gwales

Brain coesgoch yn Wooltack Point, Marloes

Bae Trefdraeth, sir Benfro

Druidston Haven, Bae San Ffraid

5 CEREDIGION

O Aberteifi hyd y Wallog

Y Cilie, y prom a briallu

Llangrannog

Gresyn ar un wedd nad yw llwybr arfordir Ceredigion yn dringo i gopa Penmoelciliau, sydd o fewn tafliad carreg i'r môr, am mai dyma'r llecyn uchaf yn y sir. Tybed, ar wahân i'r Eifl yn Llŷn, a oes unrhyw le cyffelyb ar y glannau Cymreig? Mae'r golygfeydd, yn arbennig i gyfeiriad y môr, yn rhai ysblennydd yn wir ar ddiwrnod braf a'r panorama'n odidog o Enlli draw dros fannau Llŷn a chopaon Eryri a'r holl ffordd dros Ynys Lochdyn i lawr i'r Frenni Fawr a Phenmaendewi. I'r cyfeiriad arall, 'Aur degwch Ceredigion'.

Islaw ar lethrau'r foel mae fferm y Cilie lle y magwyd nythaid o feirdd yn niwedd y bedwaredd ganrif ar bymtheg. Yn ddiweddar daethpwyd i adnabod y rhan yma o Geredigion fel Gwlad y Beirdd ac mae'r traddodiad a'r diddordeb yn y Pethe yn dal yn fyw. Ar ymweliad â'r ardal gelwais heibio i Gilie Hwnt, y fferm sy'n amaethu ochr ddeheuol y foel heddiw ac mewn sgwrs am farddoniaeth ac eisteddfodau bu Jim Morris James yn dyfynnu'n helaeth o awdl 'Y Graig' gan Rolant o Fôn, awdl fuddugol Eisteddfod Genedlaethol Dolgellau 1949. Ar un adeg ef a'i frodyr, heb unrhyw gymorth, oedd yn cynnal y tîm Ymryson y Beirdd lleol.

Isfoel, un o fechgyn y Cilie, biau'r llinell yna am degwch Ceredigion ac roedd S. B. Jones, brawd iddo, a ddenwyd i'r môr cyn troi at y weinidogaeth wedi cyfeirio at yr olygfa:

Mi af i Ben Foel Gilie yfory gyda'r wawr,
I edrych hynt fy nefaid o'r Wyddfa i'r Frenni Fawr.
Corlennais hwy'n fy mebyd ac nis gollyngaf mwy,
Ni fu erioed hyfrydwch fel eu bugeilio hwy.

Pa ryfedd i'r foel a'i chopa 710 o droedfeddi uwchlaw'r don gael ei bedyddio'n 'Parnasws' gan un o Fois y Cilie. Onid y mynydd amlwg hwnnw yng Ngwlad Groeg oedd cartre'r Awen? Bu ei phen gwastad yn atyniad i genedlaethau ac yn safle i sawl coelcerth a dathliad dros y blynyddoedd, ond pan oeddwn i yno ddiwethaf roedd yn gartref i domen dail y fferm islaw, a hyd y gwn i ar gopaon eraill cyfagos yr adeiladwyd rhai o fryngaerau'r Oes Haearn yn yr ardal hon. I'r de mae Pen y Badell ar bentir Lochdyn, ac i'r gogledd Castell Bach tu draw i Gwmtudu. Mae olion rhyw hen drigfan, caer o bosib, mewn safle mwy cysgodol ger ffermdy Gaerwen hefyd, ac yno ar ôl priodi y bu Esther, un o ferched y Cilie, yn byw. Cofnododd ei mab, y Capten Jac Alun, bardd arall, fel y buasai'r llethr serth tua'r môr yn angau i ddefaid a gwartheg – 'unwaith collasom dair anner dros yr ochr i ebargofiant', ond mae hefyd yn sôn am fynd gyda'i Wncwl Isfoel i ymyl y dibyn uwchben y tonnau i saethu pump o geffylau a oedd wedi dal rhyw glefyd: 'Saethai nhw dan y glust a chofiaf yn glir amdanynt yn twmlo lawr dros y graig i'r môr a'r gwaed yn pistyllio lan i'r awyr wrth iddyn nhw drilio i lawr rhwng y grug a'r eithin.' Mae'n cyfaddef iddo fod yn brofiad ofnadwy, ond fod yr ergyd yn yr wythïen fawr wrth y glust yn lladd y ceffyl ar amrantiad, ac roedd eu saethu yn y fan a'r lle wrth reswm yn arbed llafur caled i dorri twll mawr i'w claddu.

Syrthio'n serth i'r môr y mae'r llethr ac ar draws yr Hirallt a Chwmbwrddwch mae Llwybr yr Arfordir yn llawer nes at y dŵr; fe'i hadeiladwyd gyda chryn drafferth er hwylustod i gerddwyr gan gau'r bwlch a fodolai rhwng Lochdyn a Chwmtudu. Dyma'r 'Cwm cul cam, cartre' rhamant', un arall o'r llecynnau cysegredig a oedd yn cyffroi awen y beirdd. Mae'r straeon yn lleng am y traeth a'r morlyn ac yn rhan o fabinogi tylwyth y Cilie a'u cymdogion, a pheidied ag anghofio mai yma yn ôl traddodiad y deuai Siôn Cwilt i gasglu ei ysbail, ac mai yma mewn dyddiau diweddarach y glaniodd y llong danfor o'r Almaen i godi dŵr glân yn ystod blynyddoedd yr Ail Ryfel Byd. Heddiw, dim ond un teulu o bobl wreiddiol y cwm sydd ar ôl.

Adlais o orffennol tra gwahanol yw'r odyn galch sydd yma ac mewn dwsinau o leoliadau eraill ar hyd y glannau. Heddiw, mae'n anodd credu y byddai llongau'n dod i'r bae i ddadlwytho

Dolffiniaid trwyn potel carlamus yn Nhre-saith

cwlwm a chalch a chant a mil o nwyddau eraill; anos byth credu fod llongau wedi eu hadeiladu yn rhai o'r porthladdoedd ac, yn wir, ar draethau agored lle nad oedd cysgod naturiol, heb sôn am gysgod morglawdd a harbwr. Cyrchfan tywydd braf i ymwelwyr yw'r traethau cyfagos. Bu miloedd o blant yr Urdd ar draeth Llangrannog cyn i ofynion llym iechyd a diogelwch eu cyfyngu. Da y cofiaf y miri a'r gofal wrth gorlannu tua chant a hanner os nad mwy o blant o fewn rhwyd ddiogelwch criw o swogs ym merw'r tonnau ar ddyddiau brochus o Awst. Roedd yr hwyl ganmil mwy nag ar y dyddiau tawel, heulog. Yng nghanol y bwrlwm unwaith daeth llong ryfel yn ddiarwybod i'r bae a disgynnodd rhyw dawelwch bygythiol dros y criw o'i gweld. Mae'r traethau'n rhy niferus i'w henwi, ond yn Nhre-saith a Phenbryn fel yn Llangrannog yr oedd unwaith fwrlwm gwahanol a bri ar adeiladu llongau a physgota.

Aberteifi, Aberaeron ac Aberystwyth oedd prif borthladdoedd y sir, er ar un adeg roedd Aberdyfi ym Meirionnydd yn bwysicach o lawer nag Aberystwyth, a phwy feddyliai heddiw am bwysigrwydd a phrysurdeb Aber-arth yn yr Oesoedd Canol? Prin y byddai neb yn sylweddoli heddiw, wrth gerdded llwybr y glannau sy'n mynd â ni dros bont fechan yng nghanol pentref dymunol sy'n swatio rhwng y briffordd a'r aber, y bu yma brysurdeb i'w ryfeddu unwaith – adeiladu llongau, gwehyddu a malu ŷd – bwrlwm bywyd go iawn.

Prif borthladd Ceredigion oedd Aberteifi. Mae'r dref a'r porthladd ar yr aber, sbel o'r môr. Yn y castell yn 1176, dan oruchwyliaeth Rhys ap Gruffudd, cynhaliwyd gŵyl gystadleuol o gerddoriaeth a barddoniaeth ac fe honnwyd wedyn mai hon oedd yr eisteddfod gyntaf erioed. Adeiladwyd y castell gwreiddiol gan y Normaniaid, a dathlwyd naw can mlwyddiant yr adeilad a'r dref yn 2010. Flwyddyn yn ddiweddarach bu dathlu arall ar ôl y cyhoeddiad fod Ymddiriedolaeth Cadwgan wedi llwyddo i ddenu arian sylweddol o Gronfa Dreftadaeth y Loteri i ddiogelu'r castell ac i ailgyfanheddu'r adeiladau o fewn ei furiau er mwyn dod â pheth o ogoniant y gorffennol yn ôl a chreu adnodd a fyddai'n dynfa i ymwelwyr ac yn hwb i fasnach y dref.

Ond y porthladd a'r llongau a'r fasnach forwrol, ynghyd ag amaethyddiaeth y broydd cyfagos, a wnaeth Aberteifi yr hyn ydyw heddiw. Yn nechrau'r bedwaredd ganrif ar bymtheg, Aberteifi, yn ôl yr hanesydd J. Geraint Jenkins, oedd prif borthladd Cymru a mwy o longau wedi'u cofrestru yno nag yng Nghaerdydd ac Aberystwyth. Adeiladwyd dros 200 o longau ar lannau afon Teifi ar gyfer hwylio'r glannau a'r cefnforoedd. Yn hanner cyntaf y ganrif aeth cannoedd o ymfudwyr o borthladd Aberteifi i ogledd America, a'r cyntaf o'r ymfudwyr o Ynys Prydain a aeth i Ganada yn cychwyn eu taith anturus o'r dref hon ar fwrdd yr *Albion*. Yn ogystal ag adeiladwyr llongau roedd yma ddwy ffowndri a gofaint a gwneuthurwyr rhaffau, hwyliau a blociau. Ymhlith y nwyddau a ddadlwythid wrth y cei roedd coed a chalch, a byddai'r llongau'n gadael ar y llanw yn cario grawn a menyn oddi yma yn ogystal â lledr. Cynhyrchion pwysig eraill oedd llechi o chwareli Cilgerran a rhisgl derw ar gyfer tanerdai Iwerddon.

Gyda dyfodiad rheilffordd y Cardi Bach yn 1883, edwino fu hanes y porthladd a methiant mewn gwirionedd fu sawl ymdrech i'w adfywio, gan gynnwys un o'r rhai mwyaf llwyddiannus gan ddau hen gapten o Langrannog yn nechrau'r ugeinfed ganrif.

Dros y degawdau diwethaf cyflogaeth o Ganolfan QinetiQ Aber-porth fu'n rhoi cynhaliaeth economaidd i lawer o drigolion y dref a'r wlad o amgylch, ond i'r cerddwr brwd a'i fryd ar ddilyn llwybr y glannau, melltith yw DERA Aber-porth, fel y nodir ar y mapiau, sydd wedi meddiannu'r penrhyn i'r de o'r pentref. Mae'n ardal waharddedig ers dyddiau cyntaf yr Ail Ryfel Byd pan adeiladwyd maes awyr yma. Ar ôl dyddiau'r Llu Awyr daeth i feddiant y Sefydliad Awyrenol Brenhinol yn 1951 ac am yr hanner canrif nesaf bu'n ganolfan ymchwil i'r Weinyddiaeth Amddiffyn.

Heddiw, y gred yw fod ymchwil bwysig ar radar yn digwydd yma ac mae awyrennau dibeilot hefyd yn hedfan yn ôl a blaen oddi yma. Tipyn gwahanol i'r Hawker Henleys a'r Westland Wallaces a gâi eu hedafn yn nyddiau'r rhyfel. Bellach, er 2001 mae'r maes awyr, os nad y gwaith cyfrinachol, yn gyfrifoldeb i Lywodraeth Cymru.

Er mai yn Aberaeron y mae pencadlys Cyngor Ceredigion, Aberystwyth a'i phrifysgol a'i holl sefydliadau cenedlaethol yw prif dref y sir. Yma mae'r Llyfrgell Genedlaethol, Undeb Amaethwyr Cymru a Hybu Cig Cymru, y Cyngor Llyfrau, Mudiad Meithrin a swyddfeydd Llywodraeth Cymru. Fel yn Aberteifi, i'r gorffennol y perthyn gogoniant y castell a'r porthladd yn Aberystwyth. Marwaidd a digyffro fu'r dref rhwng cyfnod adeiladu'r castell yn y drydedd ganrif ar ddeg a darganfod mwynau, plwm yn bennaf, ym mynyddoedd y canolbarth yng nghanol y ddeunawfed ganrif. Camenwyd Aberystwyth mewn gwirionedd, gan mai afon Rheidol yn hytrach nag Ystwyth sy'n llifo drwyddi i'r môr. Yn wahanol i Aberteifi cadwodd Aberystwyth ei chysylltiad â'r byd mawr trwy gyfrwng y rheilffordd. Aberystwyth yw diwedd neu ddechrau'r daith, ac mae'r lein fach a adeiladwyd i gario cyfoeth mwynau'r mynyddoedd o Bontarfynach heddiw'n cario teithwyr seguryd. Y brifysgol a'r sefydliadau eraill yw cynhaliaeth y dref heddiw, ond er y cyfoeth a ddaw yn eu sgil mae golwg ddigon tlodaidd ar rannau o'i chanol wrth i ddatblygiadau newydd gael eu codi ar y cyrion; mae mwy eto o Benglais yn diflannu dan adeiladau a Glan yr Afon yn gorlifo â datblygiadau. Eto i gyd, does dim byd tebyg, hyd yn oed i gyn-fyfyriwr na fu'n agos i'r Coleg ger y Lli, i gerdded y Prom a mwynhau'r awel neu'r machlud a dotio at ddawns y drudwennod fel cwmwl o fwg rhwng y gorwel a'r gwyll. Aberystwyth a'i phwt o bier, yr unig un yng Ngheredigion, yw clwydfan nosweithiol degau o filoedd o'r adar a ddaw yma i aeafu. Ond er cystal y prom, mae gogoniant Aberystwyth i'w weld o ben y bryniau cyfagos, o'r de dros draeth Tan-y-bwlch neu o ben Craig Glais a'i thamaid o reilffordd fynydd neu Bendinas. Mae nifer o atyniadau yn y dref; i mi un o'r goreuon yw'r Gofeb Ryfel gan Mario Rutelli a'r ferch sy'n cynrychioli Buddugoliaeth

‘Mae’r môr yma o hyd, yn ifanc, yn hen hefyd,’ Llangrannog

Y tonnau'n tasgu yn Llangrannog

Yr hud dros Ddyfed yn Aberystwyth

ar ei brig yn dawnsio i guriad y don. Ac mae'r rhestr hir o forwyr dwy lynges a gollwyd yn ystod y rhyfeloedd yn drawiadol o drist. Dinistr y Rhyfel Cartref sydd wedi gadael ei ôl ar y castell, ac mae gorchestwaith adeilad yr Hen Goleg hefyd yn haeddu sylw.

Esgeulustod o'r mwyaf fyddai sôn am lannau'r sir hon heb grybwyll yr harddaf o bosib o'i threfi, sef Aberaeron. Mae yno awel a haul ynghyd â sirioldeb yn lliwiau ei hadeiladau a'i strydoedd. Yma fel yn y Bala mae'n rhaid bod 'llathen o gownter yn werth ffortiwn', a'r dref bob amser mor brysur. Mae'r diolch am drefnusrwydd ei hadeiladwaith i'r Parchedig Alban Thomas Jones Gwynne a greodd y porthladd rhwng 1807 ac 1811. Dywedir mai Edward Heycock, pensaer o Amwythig, oedd yn gyfrifol am gynllunio llawer o'r dref, ond cyn y gosodid yr un garreg sylfaen roedd yn rhaid wrth sêl bendith teulu Tŷ Glyn. Yn ôl tystiolaeth un o'i ddisgynyddion, o dan ofalaeth mab y gŵr parchedig, y Cyrnol Gwynne, y cwblhawyd yr hyn a welir heddiw o'r hen dref.

Ond mae gwir ogoniant glannau Ceredigion ymhell o'r trefi, ac un darn o'r llwybr godidog a grëwyd gan Gyngor Ceredigion a aeth â'm bryd oedd hwnnw rhwng Llanrhystud ac Aberystwyth.

Roedd hi bron yn ganol Mai, y gwanwyn yn ei anterth ac addewid o wres yr haf i'w deimlo o afael yr awel. Roedd ffyn bugail y rhedyn yn trechu rhwd yr Hydref blaenorol, a chlychau'r gog 'ar ddôl a chlawdd a llechwedd' ac nid oedd arwydd o aradr nac og yn unman na chwaith, ysywaeth, adlais o ddeunod y gog. Cynefin defaid yw'r llwyfandir dymunol a hafod i dinwen y garn. Yn fythol bresennol uwch y ffriddoedd, yn hwylio'r awelon, mae'r barcut coch a'r bwncath. Draw i'r chwith yn gwmni yr holl ffordd roedd y môr ac yn y pellter draw ar y gorwel, dacw fryniau Llŷn.

Ei orawen a'i ruo,
Ei wên a sglein ei sigl o;
Ei rŵn crug draw'n y creigiau
A'i regfeydd drwy'r ogofâu.

Dawns ddeheuig y drudwennod ger y pier yn Aberystwyth

Pier Aberystwyth

I'r dde, y ffridd sy'n codi'n gefnen rhyngof a'r ffordd fawr brysur sy'n cysylltu gogledd a de y sir, ond mae rhyw naws arbennig i'r lle hwn, a theimlad anniffiniadwy o fod ymhell o bob man, er mai dim ond rhyw filltir fwy neu lai i'r dwyrain y mae'r lôn bost. Yma rhwng môr a mynydd 'does dim i dynnu sylw rhywun oddi wrth y godidowgrwydd.

Un o'r llecynnau trawiadol ar fin y llwybr yw Coed Penderi, mae'r goedwig o goed byr cnotiog yn glynu wrth y pared serth ac yn diflannu i lawr o'r llwybr tua'r môr. Mae'n warchodfa natur ac o dan reolaeth Ymddiriedolaeth Bywyd Gwyllt De a Gorllewin Cymru.

Prin yw'r ffermydd a'r anheddau, dim mwy na phedair neu bump. Mae Mynachdy'r Graig dan gôt o wyngalch yn amlwg ers tro. Hon unwaith oedd un o ffermydd Mynachlog Ystrad-fflur; mae'r tŷ yn wag ond mae Cwmceirw islaw'r llwybr wedi'i adnewyddu. Murddyn yw Ffos-las rhwng y ddau le a'i ffenestri'n rhythu'n ddall tua'r môr. Llecyn anghyfannedd ydyw a ias yn yr awel, ond draw nid nepell o'r clos mae coeden afalau enfawr dan drwch o flodau yn dangos y bu bywyd yma unwaith. Pwy tybed, yn llawn hyder a ffydd, a blannodd yr afallen?

Mae'r llwybr yn arwain draw wedyn ar letraws, rhwng dwy res unionsyth o ddrain a wargamwyd dan bwysau gwynt, llwybr heddiw lle gynt roedd lôn wledig, lled trol neu gambo o leiaf. Mae'r llechweddi dan drwch o aur yr eithin, a'u harogl am yn ail ag ogla' defaid ac ŵyn yn felys a sur. Cefais damaid o ginio yn y man a'm cefn ar bwys boncyff praff rhyw ddraenen wen a lwyddodd i wrthsefyll blynyddoedd o boenydio gan wyntoedd y de-orllewin yna codi'n araf a swrth i fwrw 'mlaen tua'r gogledd a'r arwydd cyntaf o wareiddiad modern yn y pellter yng ngharafannau Morfa Bychan. Yn ôl ar y grib i gwblhau'r daith cyn i'r llwybr ddisgyn yn serth tua thraeth Tan-y-bwlch ac Aberystwyth. Ciliodd yr haul a daeth cymylau tywyll i fygwth o'r gogledd; fe ddaliodd heb fwrw glaw a'r olygfa olaf oedd un o farcutwr ar adain oren yn chwilio am lanfa ddiogel uwchben y traeth a chudyll coch yn ei unfan, lathenni oddi tanaf, bron o fewn cyffwrdd, yn hollol hyderus a disyfl ei le wrth i'r gwynt gryfhau.

Ac i gloi'r bennod hon gair am y Wallog. Yma ar lan y môr y mae'r plasty agosaf at y dŵr yn yr holl sir, yn ôl Gerald Morgan yn ei lyfr i lwybr yr arfordir. Mae ganddo simneiau trawiadol o frics melyn a nodwedd hynod arall yw Sarn Gynfelyn, y gribell ryfeddol o gerrig sy'n ymestyn allan i'r môr am ymron i saith milltir hyd at Gaerwyddno, ac y gellir cerdded ar hyd-ddi ar drai am rai cannoedd o lathenni allan i'r môr. Ond o ble daw'r enw? Wel, darllenais mewn mwy nag un lle am ŵr o'r enw Gwallog yr oedd cyfeirio ato mewn dwy gerdd hynod o anodd a thu hwnt i'm dirnadaeth i yn *Llyfr Taliesin* a ysgrifennwyd yn hanner cyntaf y bedwaredd ganrif ar ddeg. Gŵr o'r Hen Ogledd, un o'r brenhinoedd oedd yn cyfoesi efallai ag Urien Rheged yn y 570au y cyfeirir ato hefyd yn *Historia Brittonum* ddwy ganrif a hanner yn ddiweddarach. Yn ôl y gerdd roedd hwn yn ymladdwr y dywedir ei fod 'yn ynad ar Elfed', yr ardal lle mae Leeds heddiw. Mae englyn wedyn yn dweud iddo ymosod ar Elphin mab Urien, ond yn *Llyfr Du Caerfyrddin* ceir cyfres o englynion yn disgrifio sut y bu i ŵydd bigo llygaid Gwallog, a'r enw o 'gwall' yn awgrymu fod ganddo nam fel dallineb. Ond beth am gysylltiad y gŵr â glannau Ceredigion, a pha dystiolaeth sydd o hynny? Wel 'does yna ddim, ond mae sôn am Meyler ap Guaethock (*sic*) yng Ngheredigion yn y drydedd ganrif ar ddeg. Tybed nad hwnnw a roes ei enw ar y llecyn hwn, lle mae tŷ mawr ac odyn galch ar fin y lli? Wn i ddim, ond fe gofiaf yn hir am ddau ymweliad â'r Wallog, y ddau yn y gwanwyn, y naill a hithau'n benllanw a dim golwg o'r Sarn, a'r llall ar ddistyll pan oedd orig fer i hamddena a chrwydro draw i ben pellaf cerrig slic y Sarn. Heddiw mae darn o froc môr wrth ddrws cefn fy nghartref a gariais adref o'r Wallog, ac atgof am barwydydd y clogwyni cleiog dan blastar o friallu melyn a'r gwanwyn yn llawn addewid.

Pibyddion y mawn yn Ynys-las

Pysgotwyr Sân yng Nglandyfi

Un o gantrefi'r gwaelod yn yr amlwg, Ynys-las

6 MEIRIONNYDD

O afon Dyfi hyd y Cob

Canws, beirdd a mynwentydd

Gorsaf reilffordd y fferi, Fairbourne

HARBOUR VIEW
CAFE
FAIRBOURNE
RAILWAY

Gan i daith y bennod ddiwethaf ddod i ben yn y Wallog, ni chefais gyfle i sôn am y Borth ac olion y goedwig hen a welir yno yn y tywod, tystiolaeth o fodolaeth tiroedd i'r gorllewin os nad Cantre'r Gwaelod ei hun. Nid oedd cyfle chwaith i gyfeirio at hud a lledrith gwyllt twyni Ynys-las, Traeth Maelgwn a Chors Fochno, llecynnau sy'n perthyn i aber afon Dyfi, un o'r aberoedd mawreddog sy'n bylchu glannau'r gorllewin.

Un haf, cerddais i flaen y tafod o dywod sydd bron â chau ceg yr afon, tu hwnt i'r twyni, i Gerrigypenrhyn. Ar drai fel hyn mae Aberdyfi i'w gweld mor agos, ond heb gwch, nid oes gobaith mynd yno, ac os am gerdded, wel, mae'n filltiroedd i stesion Dyfi Junction a phont y trên, ac yn bellach eto i'r ffordd fawr dros Bontarddyfi ger Machynlleth. Meddwl am hynny sy'n rhoi syniad o ehangder yr aber yma. Fferi oedd yr hen ffordd o groesi, ac mae disgrifiad o Faelgwn Gwynedd yn defnyddio un yn 550 a Llywelyn Fawr yn 1216 pan ddaeth y tywysogion Cymreig yma i Aberdyfi i gynadledda. Oherwydd peryglon y llanw adeiladwyd llwyfan ar sgaffaldiau haearn ugain troedfedd a mwy o uchder yn yr 1930au i ddiogelu teithwyr rhag y llanw wrth ddisgwyl y cwch.

Draw ar y dde mae dau gwch hwylio deufast o Ganolfan Outward Bound Aberdyfi lle mae criw o fechgyn dan hyfforddiant. A'r llanw ar ei isaf maen nhw'n ymarfer glanio'r cychod yma ac acw ar y tywod, *Ysbryd Antur* yw enw un sy'n cyfleu ethos yr ysgol i'r dim. Draw tua'r môr mae rhes o donnau gwyn yn torri ar y bar ond maen nhw'n rhy bell i mi hyd yn oed glywed eu sŵn. Mae'n dawel braf, a dim ond haid o rydyddion bychan, braidd yn rhy bell i mi fod yn berffaith siŵr nad cwtiaid torchog ydynt yn gwibio'n ôl a blaen ar ymyl y lli, ynghyd â'r diweddaraf o'r amryw ymwelwyr i gartrefu ar y glannau yma, yn adar a phobl, sef y crëyr bach. Flynyddoedd yn ôl rhaid oedd mynd i dde Ffrainc i weld y crëyr gwyn tlws yma a'r coesau du a'r traed melyn yn ymestyn o'i ôl wrth godi a symud ar hyd min y traeth, bellach mae ei niferoedd yn cynyddu'n gyflym ar lannau Ynys Prydain.

Mae'r aber a rhan o ddalgylch yr afon tu hwnt yn Warchodfa Biosffer UNESCO oherwydd y brodwaith o gynefinoedd naturiol, ac yng nghanol hyn oll mae Gwarchodfa RSPB Ynys-hir, heb anghofio gwarchodfa Ymddiriedolaeth Bywyd Gwyllt Maldwyn lle y dewisodd pâr o weilch y pysgod nythu'n ddiweddar.

Yn Aberdyfi ei hun chwe mis wedyn ar fore braf o aeaf mae'n benllanw, yr aber yn orlawn a'r twyni yn Ynys-las yn ymddangos yn bell iawn yn adlewyrchiad llachar yr haul. Ac eithrio ambell wylan, mae'r adar a ddaw yma i aeafu ymhell i fyny'r aber a gwyddau prin o'r Ynys Werdd yn eu plith. Yn oerfel cyntaf gaeaf mwll a gwlyb mae disgwyl mwy o ymwelwyr pluog, ac fe ddônt yn siŵr yn sgil yr heth.

Ar y cei fan hyn mae pencadlys Clwb Rhwyfo Aberdyfi. Clwb o 60 o aelodau yn ôl y bosn Richard Grant sydd wrthi'n clirio ar ôl i un o'r cychod ddychwelyd wedi taith ymarfer i Ynys-las. Roedd y criw yn falch o ddiwrnod braf o'r diwedd i ymestyn eu cyhyrau wedi gaeaf segur. Mae hwn yn un o nifer o glybiau ar hyd y glannau sy'n rhwyfo cychod Celtaidd o blastig gwydr, yn eu plith *Calon Dyfi* a fu allan y bore yma. Cwch 24 troedfedd i bedwar rhwyfwr a chocsŷn yn y cefn i sicrhau cyd-dynnu. Camp fawr y Clwb oedd ennill yr Her Geltaidd, ras rwyfo o Arklow yn Iwerddon i Aberystwyth yn 2010, ac maen nhw eisoes yn paratoi i amddiffyn y cwpan arian sy'n eistedd mewn lle amlwg ar silff ger y drws. Mae'r ras yn ymdrech clwb cyfan gan fod angen tîm o 12 i rwyfo awr ar y tro gyda dwy awr o orffwys. Y llynedd daeth tîm y dynion adref mewn llai na 15 awr, ond roedd dros ugain awr cyn i'r cwch olaf ddod i'r lan; mae'r cyfan yn ddibynnol ar y tywydd a ffitrwydd y criw. Dywed Richard ei bod yn amhosib rhwyfo'n unionsyth ar draws y môr, ac mae siart ar y wal yn dangos eu llwybr buddugol ddwy flynedd yn ôl wrth iddynt gael eu cario gan lif y llanw tua'r de i ddechrau ac yna'n ôl i'r gogledd cyn cyrraedd traeth Aberystwyth.

Enw un o'u cychod yw *Clychau Aberdyfi* sy'n atgoffa rhywun o'r gân werin enwog, a'r cysylltiad posib â'r tir a gollwyd 'o dan y môr a'i donnau'. Yng Ngorffennaf 2011 gosododd y cerflunydd Marcus Vergette ei gloch efydd 'Amser a Llanw' o dan goed y jeti ac wrth i'r llanw droi mae ei chnul i'w glywed. Ceiriog ac Idris Lewis biau'r unawd 'Bugail Aberdyfi', y gân enwog arall sy'n gysylltiedig â'r pentref. Cân, meddir, a ysgrifennodd Ceiriog i ffrind iddo a oedd yn blismon yn Nylife ac yn briod â merch fferm o ochr Aberdyfi a'i gadawodd am gyfnod.

Heddiw mae Aberdyfi yn bentref poblogaidd a deniadol i ymwelwyr. Nid oes neb yn cofio a phrin yw'r rhai sy'n ymwybodol o'r llongau a adeiladwyd yma, ond yn anterth ei brysurdeb gwerthid cyfranddaliadau rhai o longau'r pentref mewn arwerthiannau. Er enghraifft, ar 3 Tachwedd 1819 roedd cyfranddaliadau saith o longau'r porthladd ar werth. Yr arfer oedd rhannu gwerth y llong i 16, a'u cynnig ar werth fel hyn, fel y gwnaed yn nhafarn yr Eagles, Machynlleth y diwrnod hwnnw:

5 Sixteenth of the Brig *RESOLUTION*,
1 Eighth of the Sloop *XENIA*,
1 (hanner) Sixteenth of the Schooner *DILIGENCE*.

Mae canol tref Tywyn gam neu ddau o'r môr, a 'does dim teimlad o dref 'lan-y-môr iddi o gwbl er bod yno draeth ardderchog a rhan o'r dref wedi datblygu tua'r traeth. Yn eglwys Cadfan yn y dref mae carreg hynafol ac arni arysgrif hen na fedrwn i hyd yn oed ei darllen heb sôn am ei dehongli. Yn ôl dehongliad Syr Ifor Williams, 'Ceinrwy gwraig Addian [sydd yma] yn ymyl Bud [a] Meirchiaw. Cun, gwraig Celen: erys anaf' yw'r geiriau sydd ar bedwar wyneb y garreg o'r wythfed ganrif, er bod yr eglurhad ar fur yr eglwys heddiw ychydig yn wahanol. Mae rhannau o'r adeilad yn bur hen, a'r ffenestri bychain uchel a'r pileri crynion yn drawiadol ac anghyffredin. Ar y mur, ymhlith amryw hysbysebion a hen luniau o'r eglwys, mae rhywbeth na welais erioed o'r blaen, sef 'Taflen y Graddau Carennydd a Chyfathrach' ac arni restr o bersonau y gwaherddir unrhyw un rhag eu priodi.

Draw i'r gogledd daw afon Dysynni i'r môr ar ôl oedi'n 'llyn bach llonydd' yn Broad Water, na welais erioed enw Cymraeg iddo. Bu unwaith yn aber weddol eang, ond bellach caewyd ei cheg ac ar lanw fe ffurfir llyn go sylweddol. Draw tua phum milltir i fyny'r dyffryn a'i olygfa ysblennydd o Gader Idris mae Craig yr Aderyn, yr unig le y gwn i am fulfrain yn nythu ymhell o'r môr. Gyferbyn â'r graig mae Peniarth, a ddiogelodd gynifer o lawysgrifau Cymreig ac a roes, ymhlith casgliadau eraill, fel Hengwrt, sydd hefyd yn y sir hon, sylfaen wych i gasgliadau'r Llyfrgell Genedlaethol ganrif yn ôl.

Draw i'r gogledd o Donfannau ac olion yr hen wersyll milwrol mae fferm Bronclydwr, Llangelynnin oedd yn gartref i Hugh Owen, un o weinidogion cyntaf yr Annibynwyr Cymraeg, ac yn eglwys y plwyf ger y môr ceir enghraifft dda o elor feirch.

Mae hanes Mari Jones o'r ardal yma'n cerdded i 'mofyn Beibl gan Thomas Charles yn y Bala yn ddigon cyfarwydd, ond nid efallai hanes Mary Elizabeth Jones (Mari'r Golau) o Egryn ger Tal-y-bont i'r gogledd o Abermo, a welodd yn ystod cyfnod Diwygiad 1904 ryw oleuni rhyfedd o gwmpas yr ardal. Cafodd sylw mawr a bu'n teithio Cymru yn adrodd yr hanes ac yn annog pobl i droi at Dduw, ond ganrif a rhagor yn ddiweddarach golwg ddigon trist sydd ar yr hen gapel bach ar fin y ffordd.

Yn sydyn wrth deithio i'r gogledd o Lwyngwril daw aber afon Mawddach i'r amlwg. Prin yw'r traethau melyn draw o Dywyn hyd yma, fawr mwy na rhimyn fan hyn a fan draw, ac wrth agosáu at y Friog mae'r ffordd a'r rheilffordd wedi'u gwasgu rhwng yr allt a'r môr gyda'r naill ddau gan troedfedd uwchben y llall. Yma y cawn yr olwg gyntaf ar Abermo yr ochr draw i'r fan y llifa'r afon i'r môr. O ran lleoliad mae'r dref yn debyg i Aberdyfi, wedi'i gwasgu i lecyn cul rhwng trwyn o graig a'r dŵr; eto am

Aber lledrithiol afon Mawddach

filltiroedd i'r dwyrain mae gorchest arall o aber yn llawn tywod melyn pan fo'r môr yn cysgu. Acw ar y morfa, yn ôl y map, mae Fairbourne, tra mae'r Friog ar y briffordd yn llechu yng nghysgod y graig, a Rheilffordd y Cambrian yn gwahanu'r ddau. O un cwr i Fairbourne rhed lein fach gul draw i drwyn y penrhyn, ac o'r fan honno, yn ei thymor mae modd dal fferi'r Seren Wen o'r orsaf fferi i Abermo. Yn yr haf mae'r prysurdeb glan môr arferol yno, ond yn y gaeaf, a'r tywod yn gorchuddio'r lein mewn mannau, dim ond i chi hanner cau eich llygaid a rhoi'r dychymyg ar waith gallech yn hawdd gredu am eiliad neu ddwy eich bod mewn anialwch yn rhywle fel Namibia ar arfordir Affrica. Ond ffwlbri ydi hynny, ac mae'n rhy oer i oedi heddiw er bod cysgod dymunol i'w gael ynghanol y twyni yn llygad yr haul.

Yn cadw llygad ar yr aber mae Cader Idris sy'n codi'i ben yn fawreddog dros gyfres o fryniau creigiog coediog yn y dwyrain, ac mewn llinell unionsyth ar draws yr aber daw'r rheilffordd dros ei thraphont urddasol o goed a adeiladwyd yn 1867. Mae'n rhaid teithio rhai milltiroedd eto i gyrraedd pont goed arall yn Llynpenmaen, a thalu toll, er mwyn cael croesi gyda char.

Tref lwydaidd a thywyll braidd yw Abermo, ond mae'n ganmil brafiach ei natur a'i chymeriad na Fairbourne sydd fel brech ar draws y morfa. Ond er tegwch i'r pentref, pe byddai rhywun yn dechrau rhestru mannau tebyg a ddifethwyd ar hyd y glannau, mae'n beryg' y byddai'r rhestr honno'n go hir.

Ar nodyn cadarnhaol, teg cofio mai Dinas Olau uwchben tref Abermo oedd y darn cyntaf o dir a gyflwynwyd i'r hyn a ddatblygodd i fod yr Ymddiriedolaeth Genedlaethol. Bwriad y cymwynaswyr cynnar oedd creu 'ystafell fyw awyr agored i breswylwyr y ddinas gael llecyn i anadlu'. Bu'r glannau'n atyniad i bobl gael awyr iach a lle i anadlu ers degawdau lawer, ac mae'r olygfa yn ôl dros yr aber o ben Dinas Olau cystal â'r un. Mae amrywiaeth mawr o lwybrau yn yr ardal, un yn mynd o gwmpas yr aber gan ddefnyddio pont y trên ac un arall ar hyd Ardudwy

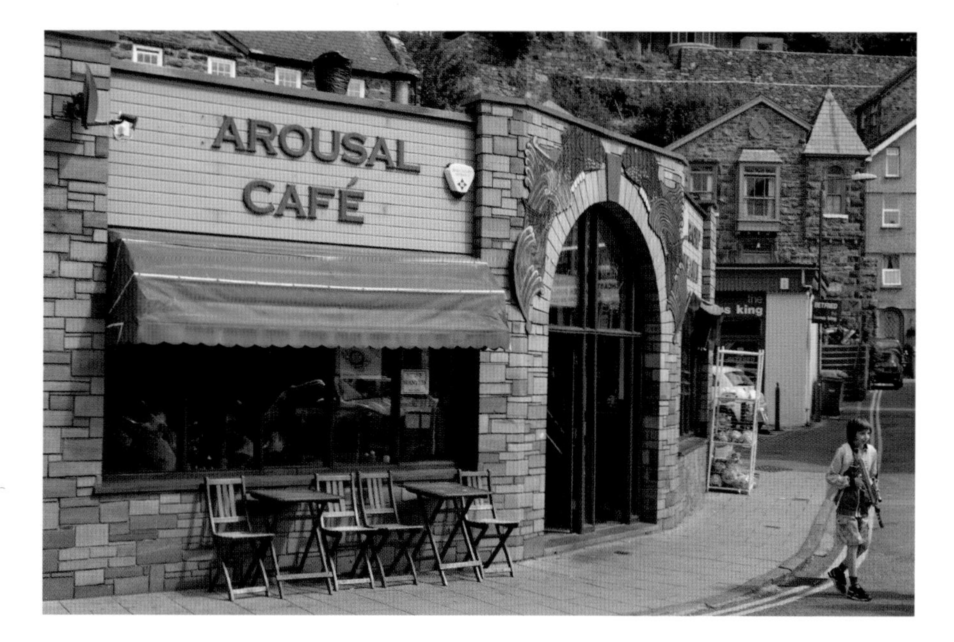

dros y ffriddoedd a'r bryniau yr holl ffordd i Landecwyn ac aber afon Dwyryd.

Unwaith, ar noson loergan ddeng mlynedd ar hugain a mwy yn ôl, bûm ar daith mewn canŵ o Westy Siôr III yn Llynpenmaen yr holl ffordd i lawr yr aber ac o dan y bont ac allan i'r môr, draw i le mae'r tonnau'n torri ar y bar, cyn troi a glanio ar draeth eang y Friog. Noson i'w chofio oedd hi yng nghwmni eraill oedd yn gweithio mewn canolfannau awyr agored ym Meirionnydd. O gofio am antur fach felly, da cofio mai yma ar lannau'r Fawddach y treuliodd yr anturiaethwr Bill Tilman ddegawdau olaf ei oes, yr olaf yn siŵr o anturiaethwyr mawr yr ugeinfed ganrif. Roedd ymhlith y cyntaf i ddringo rhai o fynyddoedd mawr Affrica ac Asia, ac i roi ei droed gyda'i gyfaill Eric Shipton 'ar le na welodd dyn erioed' draw ymhell y tu hwnt i ffiniau mapiau ei gyfnod. Roedd yn hwyliwr hefyd ac ar daith hwylio, ac yntau ar drothwy ei ben-blwydd yn bedwar ugain oed, y collwyd ef yn y Cefnfor

Blas ar fywyd caffi yn Abermo

Olion yn y tywod, rheilffordd Fairbourne

Deheuol ar y ffordd i'r Antarctig. Bu'n symbylydd i Ras Hwylio'r Tri Chopa o Abermo i Fort William. Gŵr hynod iawn oedd Bill Tilman ac awdur toreithiog a gofnododd hynt a helynt ei deithiau niferus i'r pegynau a'r copaon uchaf â brwdfrydedd.

Uwch glannau Meirionnydd mae'r bryniau'n frith o olion yr oesoedd cynnar, yn garneddi, cromlechi a chylchoedd cerrig, mwyngloddiau, olion hen gaeau ac anheddau a hen lwybrau a suddodd bron i ddifancoll i'r ddaear hen. Ar y graig uwchben y môr yn Harlech mae castell nad oes ei debyg yn unman ac mae'r enw 'Plas Owain' ar y plasty islaw yn ein hatgoffa i Owain Glyndŵr gipio'r castell yn ystod ei wrthryfel, a chydag enw fel 'Y Branwen' ar westy cyfagos, ni ellir anghofio'r Mabinogi a'r cysylltiad ag Iwerddon. Rhywbeth arall hynod yw'r waliau cerrig llwydwyn sy'n derfynau cadarn i gaeau'r ffermydd yr holl ffordd o Aberdyfi i Harlech.

O Abermo i Fochras mae traeth o dywod di-dor sy'n ailafael wedyn hyd ben pellaf Morfa Harlech. Morfa Dyffryn a Morfa Harlech – dau ddarn eang o dir – yw nodweddion naturiol mwyaf trawiadol y glannau yn y fan hon. Meddiannwyd hanner y cyntaf gan faes awyr, a adeiladwyd adeg yr Ail Ryfel Byd ac a ddefnyddiwyd am flynyddoedd i hedfan awyrennau dibeilot mewn cysylltiad â safle Aber-porth. Bu dadlau mawr yn ddiweddar am ddefnydd y lle i'r dyfodol ac un datblygwr, sydd â chryn dipyn o gydymdeimlad lleol, am weld ei agor fel maes awyr masnachol. Ar y safle mae nifer o siediau anferth; tybed nad amgenach fyddai ceisio defnyddio'r rheini i greu gwaith yn hytrach na hedfan awyrennau? Swyddi yn erbyn hamdden, cadwraeth yn erbyn economi, dyna hanes y lle fel sawl lle ar hyn o bryd.

Gerllaw'r maes awyr mae aber arall, un fechan o'i chymharu ag eraill ar y glannau yma ond un hynod serch hynny. I'r fan yma y daw dyfroedd afon Artro, ac mae'r cei ym Mhen-sarn yn arwydd o bwysigrwydd yr aber cyn dyddiau'r cychod pleser presennol.

Mae canolfan awyr agored ar y cei erbyn hyn ac mae'r glannau yn un chwaraele anferth. Daw miloedd yn flynyddol i wersylla ym Mochras ar yr ochr ddeheuol i'r aber. 'Shell Island' meddai'r ymwelwyr amdano, a'r enw'n gystal disgrifiad â dim o gofio am y miliynau o gregyn bach a mawr sydd yno. Fferm Mochras oedd cartref y bardd Siôn Phylip ac mae ei fedd i'w weld yr ochr arall i'r afon ym mynwent eglwys Llandanwg. Mae'r fynwent wedi'i gorchuddio gan dywod ond hyd yma, trwy ymdrechion cydweithredol, llwyddwyd i sefydlogi peth ar y twyni a'u cadw rhag meddiannu'r eglwys. Cynhelir gwasanaethau yno, hyd yn oed yn y gaeaf yn ôl y poster ar yr hysbysfwrdd yn gofyn i'r mynychwyr ddod â llusern neu lamp i oleuo'r eglwys fach. Ar yr un bwrdd nodir bod yr eglwys yn dyddio o'r flwyddyn 435.

Boddwyd Siôn Phylip ym Mhwllheli ac yntau ar gychwyn adref wedi taith glera yn Llŷn. Y dyddiad oedd 13 Chwefror 1620,

Tannau'n canu ar bont Abermo

Traeth Harlech

Datganiad ym Mhortmeirion

ond 1600 sydd ar y garreg, ac yn ôl T. I. Ellis, sy'n dyfynnu Syr John Morris-Jones, mae amheuaeth mai yma y'i claddwyd ac yn sicr nid hon yw'r garreg wreiddiol. Ond wedyn fe ganodd ei fab Gruffydd fel hyn:

O fwynion ddynion bob ddau – cyfarwydd,
Cyfeiriwch y rhwyfau:
Tynnwch ar draws y tonnau
A'r bardd trist yn ei gist gau.

Roedd Siôn a'i deulu ymhlith yr olaf o'r clerwyr, y beirdd teithiol a ganai glodydd y gwahanol deuluoedd a gynigai iddynt nawdd, a dywedir mai Gruffydd ei fab a fu farw yn 1666 oedd 'y diwethaf o'r hen feirdd'.

Ym mhen gogleddol sir Feirionnydd mae eglwys ar fryncyn â'r enw hudolus ac addas Llanfihangel-y-Traethau ac o'r fynwent dan y coed ceir cip ar odidowgrwydd aberoedd eraill lle daw afonydd Dwyryd a Glaslyn i'r môr. Ar y glannau mae glasdraeth a dau adarwr dygn a'u plant yn codi archwaeth am ginio Sul wrth wylio adar. Ar y gwynt mae cri'r gylfinir, ond fawr mwy na dyrnaid o hwyaid ansicr sydd i'w gweld wrth i'r aber lenwi. Ym mhen pella'r tir mae mainc, un o nifer yn wir, ac arni eiriau sy'n cyfleu i'r llecyn arbennig hwn roddi solas i lawer ac i'r fainc gael ei gosod er cof am y cwmwl tystion.

O'r fan hon mae golwg wahanol ar bentref Port Meirion a adeiladwyd gan y dewin o bensaer, Clough Williams-Ellis. Ond os yw ei bensaerniaeth yn gyfandirol mae'r pentref bach bellach yn llawer mwy Cymreig ei groeso ac yn hynod atyniadol i ymwelwyr o bell ac agos.

Yn yr hen ddyddiau byddai'r aberoedd yn fwrlwm o brysurdeb ac anodd dirnad heddiw pa mor drafferthus oedd eu croesi. Er enghraifft, yn dilyn llanw a llif mawr noswyl Nadolig 1816 symudodd gwely afon Dwyryd o ochr ddwyreiniol Ynys Gifftan i'r ochr arall lle y mae heddiw. Ni chodwyd pont i groesi'r traeth nes y daeth Rheilffordd y Cambrian a Phont Briwet yn 1836.

Mae'r Traeth Bach ac aber afon Dwyryd fwy neu lai yn naturiol, ond nid y Traeth Mawr. Pan gwblhawyd y Cob yn 1811 'enillwyd' aber afon Glaslyn o'r môr a'r darogan gan Dewi Wyn o Eifion oedd:

Cnydau, perllanau llawnion – a gwenith,
Os nid gwinoedd ffrwythlon;
Gerddi a dolydd gwyrddion,
Sy'n awr lle bu dyrddfawr don.

Wrth ddofi ardal ryfeddol o wyllt a oedd yn rhwystr mawr i deithwyr, collwyd un o aberoedd hyfrytaf Cymru.

O ddyddiau Gerallt Gymro teithiodd llawer drwy'r fan hon, yn eu plith John Leland a John Wesley, a gyfeiriodd at anhawster a pheryglon croesi'r Traeth Mawr. Mor bell yn ôl ag 1625 roedd Syr John Wynn o Wydir wedi gofyn am gymorth Syr Hugh Myddelton, o deulu Castell y Waun, i greu morglawdd a sychu aber afon Glaslyn. Roedd y llanw'n cyrraedd ymhell ac mae sôn ei bod yn weddol rwydd cyrraedd hyd at safle Pont Aberglaslyn mewn cychod. Felly, roedd croesi'r aber lydan hon bob amser yn drafferthus a pheryglus. Codwyd nifer o gloddiau llanw yn niwedd y ddeunawfed ganrif gan sychu darnau helaeth o dir, ond bu raid aros tan 1811 cyn cwblhau'r Cob presennol. Mae'r diolch am hynny i William Alexander Maddocks, aelod seneddol Boston yn Swydd Lincoln, a oedd wedi prynu Tanrallt yn 1798. Cafwyd deddf seneddol yn 1807 a chwblhawyd y gwaith erbyn Medi 1811 gyda Dafydd Ddu Eryri yn ysgrifennu awdl i nodi'r achlysur. Serch hynny, rhan o gynllun mwy oedd sychu'r aber a chreu ffordd rwydd i'w chroesi.

Flwyddyn yn ddiweddarach bylchwyd y morglawdd mewn storm fawr a chafwyd yr englyn gan Dewi Wyn o Eifion

Traeth Bach a'r cof am longau a'r môr mawr

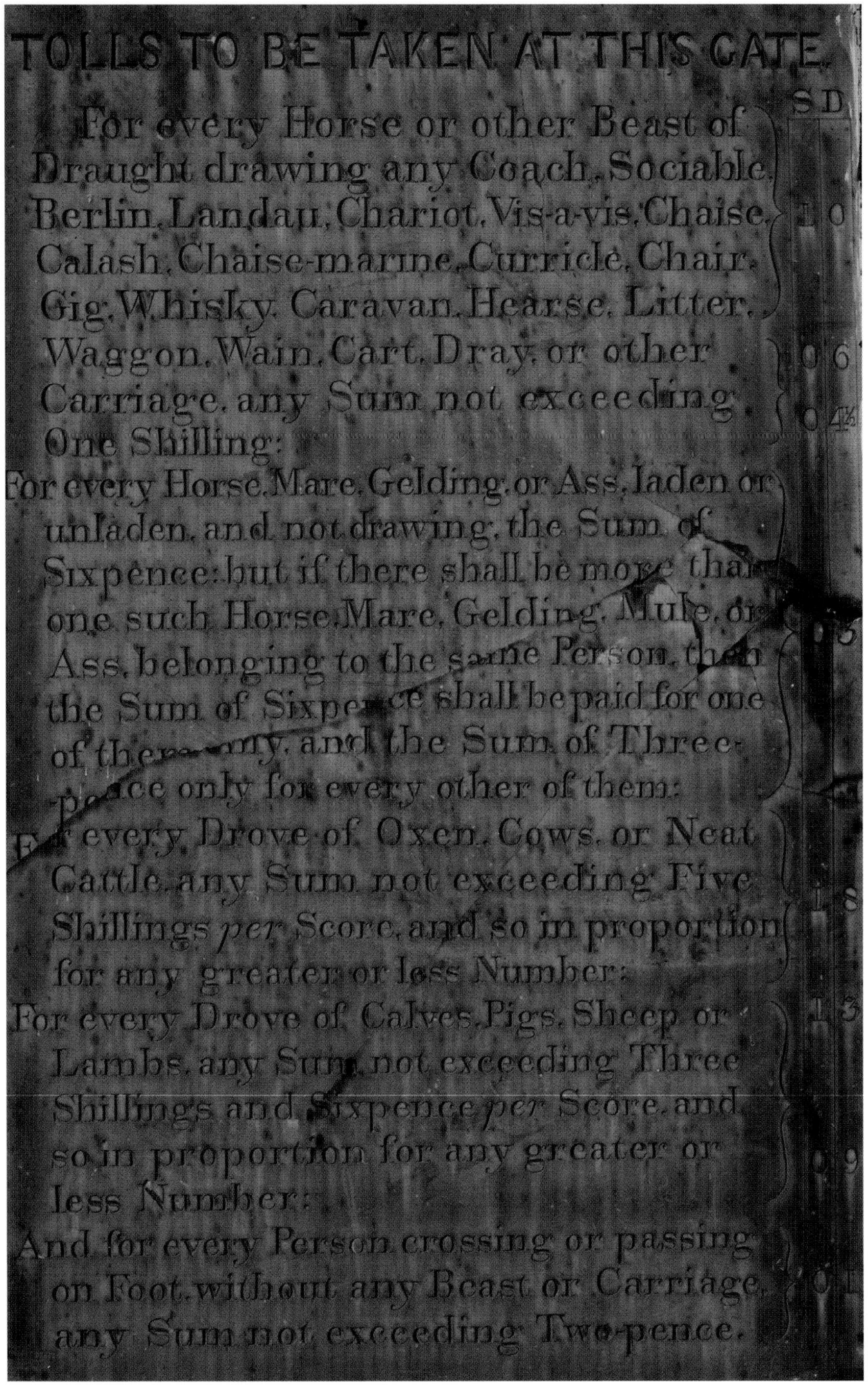

yn cymharu'r alanas â rhywbeth tebyg a ddigwyddodd ym Malltraeth, Môn yn 1796. Ond cyn hynny, yn ewfforia cwblhau'r gwaith y cyfansoddwyd yr englyn uchod gan Dewi Wyn. Ddau gan mlynedd yn ddiweddarach, tir pori ar gyfer magu stoc sydd ar waelodion dyffryn Madog a phrin yw'r meysydd gwenith, ac am y perllannau a'r gwinllannau nid oes sôn, hyd yma.

Llwyddodd y Cob i gadw'r môr yn ôl a bu'n hwyluso'r daith rhwng hen siroedd Caernarfon a Meirionnydd. Yn eu tro aeth miliynau o gerbydau drosto yn ogystal â Rheilffordd Ffestiniog ond tawel mewn cymhariaeth yw'r Cob heddiw wedi agor ffordd osgoi Porthmadog yn uwch i fyny. Serch hynny, mae'r hen forglawdd yn dal i gynnig llwyfan hwylus i ddotio ar un gornel drawiadol o Eryri.

Ond os tawel y Cob erbyn hyn, beth am un o bentrefi'r ardal a newidiodd yn llwyr yn sgil ei adeiladu? Mae pentref Minffordd sydd bob ochr i'r ffordd o Benrhyndeudraeth i Borthmadog wedi tawelu ymhellach yn sgil y ffordd osgoi newydd, ond faint o newid a ddaeth i waelod y pentref a oedd, cyn codi'r morglawdd, ar lan y dŵr? Mae'n anodd credu y bu unwaith borthladd prysur yma ynghyd â nifer o fusnesau adeiladu llongau a thafarn brysur. Ac i'r fan yma, wrth gwrs, y deuai'r ffordd o gyfeiriad canoldir Lloegr a'r tywysyddion yn arwain teithwyr ar draws y traeth peryglus – pobl gyfarwydd eu llygaid a sicr eu traed a oedd yn adnabod yr aber fel cefn eu llaw oedd y rhain.

Mewn cyfnod o drigain mlynedd o 1761 adeiladwyd 54 o longau yma ac ar y Traeth Bach. Y *Neptune*, llong dri chan tunnell a adeiladwyd ym Minffordd, oedd y fwyaf o ddigon, ond gan nad oedd modd ei symud bu criw o ddynion wrthi am flwyddyn yn agor ffos i'w chael i hwylio. Heddiw, prin fod neb yn gyfarwydd â chaib a rhaw diolch i beiriannau a thechnoleg ac nid yw croesi'r traeth yn boen i neb.

Costau teithio: yr hysbysfwrdd ar yr hen dollborth ar gwr y Cob

Yr Wyddfa a'i chriw: yr olygfa o'r Cob

7 LLŶN AC EIFIONYDD

O Borthmadog hyd Ddinas Dinlle

Cychod pleser, clociau a phererinion

Ger Aberdaron

Penrhyn Llŷn: o gopa Moel y Gest

Mae dwy lein fach, y naill o gaernarfon a'r llall o Flaenau Ffestiniog, yn cyfarfod ym Mhorthmadog, heb anghofio'r brif reilffordd wrth gwrs, a'i gorsaf, sy'n cysylltu Pwllheli â gweddill y byd. Tref atyniadol felly i benboethiaid y trenau bach, a thref ddymunol i siopa a hamddena ynddi; mae ei stryd fawr, diolch i'r ffordd osgoi newydd, wedi cael cyfran o'i rhyddid yn ôl.

Mae'r harbwr yn llawn cychod pleser ac yn nhymor yr hwylwyr, rhwng y Pasg a Diolchgarwch, mae yma, fel mewn sawl porthladd arall, brysurdeb rhyfeddol. Prysurdeb hamddena, os nad yw hynny'n groes-ddweud, yw prysurdeb heddiw ond prysurdeb tra gwahanol a greodd y lle yn sgil adeiladu'r Cob ddwy ganrif yn ôl.

Perthyn i'r gorffennol y mae cysylltiad y dref â'r môr ac roedd hwn un adeg gyda'r prysuraf o borthladdoedd Cymru o ran adeiladu llongau hwyliau a chario llechi i bob cwr o'r byd. Ym Mhorthmadog a Borth-y-gest adeiladwyd dros 250 o longau yn y cyfnod rhwng 1825 a'r Rhyfel Mawr. Ymhlith llongau enwog dyddiau olaf hwyliau ym Mhorthmadog roedd y Western Ocean Yachts, rhyw groesiad rhwng sgwner dri mast a barcentîn, llongau hardd a hawdd eu trin gan griwiau cymharol fychan a ddatblygwyd yn arbennig i groesi gogledd yr Iwerydd. O'u lluniau mae yna awgrym o gyflymder yn eu ffurf ac yn y cynfas eang uwch eu deciau. Dyma longau a adeiladwyd i hwylio'n agos at y gwynt, wedi'u datblygu ar sail profiad eang cenedlaethau o forwyr a hwyliodd ar hyd a lled cefnforoedd y byd, a'u pwrpas yn bennaf oedd cario pysgod wedi'u halltu o Newfoundland a Labrador. Llwyddodd *Blodwen*, y gyntaf a adeiladwyd, i hwylio o Newfoundland i Patras yng Ngwlad Groeg mewn dau ddiwrnod ar hugain. Adeiladwyd 32 o'r llongau hardd eu llun rhwng 1891 ac 1913 a daeth y gwaith i ben gyda'r *Gestiana*. Yr olaf i'r gwynt lenwi ei hwyliau oedd *Isallt* ac ymhlith ei pherchnogion roedd meddyg o Flaenau Ffestiniog a fagwyd ar fferm o'r un enw, llawfeddyg, masnachwr a rheolwr chwarel, heb anghofio William George y cyfreithiwr, brawd David Lloyd George.

Taith arferol rhai o'r llongau yma fyddai cario llechi i'r Almaen ac yna halen i ogledd America, cludo pysgod penfras wedi'u halltu o'r fan honno wedyn i lawr i'r Eidal neu Wlad Groeg, cyn bwrw yn ôl ar draws Môr y Canoldir i Gibraltar i dderbyn gorchmynion pellach. Ar dro byddai cymaint â dwsin o longau Porthmadog wrth y Graig yn aros am lwythi. Er i rai o longau'r Port gael eu suddo yn ystod y Rhyfel Mawr fe oroesodd *Isallt* ac fe'i gwerthwyd yn 1918. Yn ddiweddarach rhoddwyd peiriant ynddi a thynnwyd ei mastiau ond daeth y diwedd i'r olaf o longau Porthmadog yn 1947, ar rimyn o draeth di-nod yn Iwerddon.

A minnau'n hogyn mewn cartref difodur yn y pumdegau roedd pen draw ein byd ni yn agos iawn, ond ar dro byddem yn mentro cyn belled â Borth-y-gest ac i Dudweiliog hefyd lle'r oedd perthnasau gan y wraig drws nesaf. Borth-y-gest oedd y ffefryn gan nad oedd yno gydnabod, dim byd ond traeth, a mwy o draethau wrth gerdded i gyfeiriad Morfa Bychan. Traethau braf yn wynebu'r haul a thaith wedyn yn y bws yn ôl trwy Aberglaslyn a'r Gymwynas a Beddgelert, wedi blino'n braf.

Ond cyn gadael y pentref a'i atgofion bore oes rhaid crybwyll un hanesyn cymharol gyfoes a welais mewn ysgrif gan y llenor William Owen. Yr achlysur oedd cau capel Ebeneser, sydd a'i wyneb tua'r môr mewn safle arbennig yng nghanol y pentref, dafliad carreg o'r dŵr. Un prynhawn Sul yn Rhagfyr 2008, yn ystod y gwasanaeth olaf, a'r drws ar fin cau am byth, fe stopiodd y cloc. Anesboniadwy yn siŵr, ond nid anghyffredin fel y gwelwch o ddarllen ysgrif 'Dirgelwch y tri chloc'.

Atgof arall am yr ardal hon yw'r un am brynhawn o aeaf a 'chaddug yn cuddio Eryri' a ninnau heb fod ymhell o eglwys Ynyscynhaearn, lle mae bedd y telynor Dafydd y Garreg Wen, yn gwylio miloedd ar filoedd o ddrudwennod yn dod i glwydo yn hesg Ystumllyn. Draw ar y gorwel roedd awgrym o fwg neu gwmwl bychan, ond yn sydyn trodd yr arlliw llwyd yn filoedd ar filoedd o adar yn troi a throsi mewn cytgord perffaith swnllyd cyn disgyn i'r hesg. Ni fyddant yn setlo ar y cynnig cyntaf bob tro; os bydd ansicrwydd byddant yn codi eto gan symud fel un ar draws yr awyr, mewn patrymau nad oes iddynt na dehongliad na rheswm hyd y gwelaf i, cyn dod yn ôl a glanio a thewi. A'r dydd yn diffodd yn y gorllewin daw dyrnaid neu ddau cyn i'r nos eu dal, dim patrwm na chwafers, dim petruso, maen nhw'n gwybod ei bod hi'n ben set ac fe ddônt i ddiddosrwydd y cyrs fel ergydion o wn.

Draw i'r dde mae Cricieth, lle pererindod ar fwy nag un nos Sadwrn gyda Janice, Gwen ac Elin i gael 'sgod a sglods' yn y car yn sŵn y don a golwg y castell, ac os yw hi'n noson braf, llond twb o hufen iâ yn goron o bwdin ar wledd! Wrth edrych ar y castell yr hyn a gofiaf yw'r stori am Syr Hywel y Fwyall a lwyddodd i dorri pen ceffyl yn glir ag un ergyd. Daeth y castell yn gartref iddo ar ôl iddo ymladd yn ddewr dros frenin Lloegr mewn brwydrau yn Ffrainc.

Daw Afon Wen i'r môr mewn llecyn braf, a thybed nad y glannau tywodlyd hyn fu'n sbardun i linell gyntaf un o benillion 'Mae'r gwaed a redodd ar y groes' – yr emyn anfarwol gan Robert ap Gwilym Ddu o'r Betws Fawr sydd heb fod ymhell?

'Mhen oesoedd rif y tywod mân
ni fydd y gân ond dechrau;
rhyw newydd wyrth o'i angau drud
a ddaw o hyd i'r golau.

Unwaith, cyn i'r rheilffordd o Gaernarfon gael y fwyell, roedd yr orsaf drenau gerllaw ymhlith y mannau syrffedus hynny, fel Dyfi Junction, lle'r oedd yr hen ddihareb 'hir yw pob ymaros' yn cyfleu diflastod disgwyl am drên. Rhyw filltir i ffwrdd mae gorsaf arall – ym Mhenychain. Dyma orsaf y gwersyll gwyliau a adeiladwyd gan Billy Butlin ar gais y Llywodraeth fel gwersyll HMS *Glendower* i'r Llynges ac a hawliwyd yn ôl ganddo ar ôl yr Ail Ryfel Byd i'w droi, wedi mân addasiadau, yn wersyll gwyliau. Bu rhai o'm cyfoedion yn gweithio yno yn ystod gwyliau'r haf. Hafan y Môr yw enw'r lle bellach, can mil gwell enw na Starcoast World a fu ar yr arwyddion am gyfnod, ac ni chlywir mwyach yr 'Hi-de-Hi' a 'Good morning, Campers'. Ar un adeg, cynhelid eisteddfod fawr ar ddiwedd y tymor yn Butlins, eisteddfod y bu perthynas i mi yn ysgrifennydd iddi am flynyddoedd. Cofiaf hefyd ddod adref o ogledd Lloegr ar y trên un tro, wedi i wyliau beicio gael ei ddifetha gan dywydd gwlyb ac olwyn gam, a gofyn i rywun i le'r oedd o'n mynd. Ei ateb oedd 'Penny-chain'. A minnau'n fachgen a oedd, oherwydd y beicio, yn gyfarwydd iawn â sir Gaernarfon, nid oeddwn am gyfaddef na wyddwn i am y lle! Bu'n sbel cyn i mi ddeall mai Penychain oedd enw'r orsaf agosaf i'r gwersyll poblogaidd.

Pe na wnaem fwy na chofio am Cynan wrth ymweld â Phwllheli ac ailddarllen ei gerddi, byddai'n ddigon. Ar drothwy canmlwyddiant dechrau'r Rhyfel Mawr daw Cynan yn ôl eto i fri. Wrth ennill Coron Eisteddfod Genedlaethol 1921 fe gyffyrddodd Cynan â rhywbeth yn nghalonnau ei gyd-Gymry wedi colledion enbyd y rhyfel yn ei bryddest 'Mab y Bwthyn'. Ysgrifennodd am y golled a'r gwastraff a gafwyd yn sgil yr ymladd ac am yr hiraeth dwys a deimlai ymhell o Bwllheli ac o Lŷn. Ysgrifennodd gydag angerdd a didwylledd am wlad Llŷn:

O! na ddeuai chwa i'm suo
O Garn Fadryn ddistaw, bell,
Fel na chlywn y gynnau'n rhuo
Ond gwrando am gân y dyddiau gwell.

'Mae'r môr yn wyrddlas ym mae Llanbedrog' fel mewn sawl lle arall, ond os oes rhywle sy'n denu'r miloedd, Aber-soch a'r cyffiniau yw hwnnw. Anghofiwch am Aber-soch yr ymwelwyr, am y siopau *boutique* a morwrol ac am y tai bwyta sy'n ddrutach na phob man arall, ac anwybyddwch y meysydd carafannau a'r tai haf niferus os medrwch a dowch i lawr i lan y môr. Mae'r bae fel cryman yn ymestyn draw i gyfeiriad Marchros a Phenrhyn Du, a nifer o longau bach wrth angor yn y bae ond o'ch blaen Ynysoedd Sant Tudwal, y Fawr a'r Fach. Mae goleudy ar y lleiaf o'r ddwy ac yma y daw un o anturiaethwyr enwocaf teledu'n dyddiau ni i ymlacio, dyma seintwar Bear Grylls. Ar y Fawr bu ymdrech i sefydlu mynachlog yn ôl y Parchedig Harri Parri. Roedd hynny, meddai wrthyf mewn rhaglen radio, tua diwedd 1886 pan ddaeth y Tad Henry Bailey Maria Hughes yma gyda'r bwriad o adeiladu mynachlog a chyflwyno'r 'Hen Ffydd' yn ôl i Lŷn, ac ymhlith eraill o'i freuddwydion roedd sefydlu ysgol babyddol a lleiandy yn Abersoch gan droi'r ynys yn gyrchfan i bererinion ac yn fynwent i Gatholigion, a hynny er ei bod yn denau ei phridd a heb gyflenwad dŵr. Ni ddaeth dim o'r freuddwyd, er yr ymdrech lew, a bu'r Tad Hughes farw ychydig cyn y Nadolig y flwyddyn ddilynol.

Rydw i wedi hwylio o gwmpas yr ynysoedd ddegau o weithiau mewn Laser fechan ac wedi bwrw draw tuag at Gerrig y Trai y tu hwnt i weld y morloi'n diogi rhwng dau lanw. Dro arall, ar un min nos o haf, a dau ohonom mewn cwch wrth i'r awel ddiflannu fel roedd y llanw'n troi. Roedd y machlud yn gofiadwy dros fryniau Llŷn a ninnau'n cael trafferthion i leoli'r bwi er mwyn i'r cwch bach fynd â ni i'r lan wedi i'r nos ein dal. Ond ar nosweithiau felly, o'r môr ac o ben hen fryniau Llŷn mae'r golygfeydd a'r machludoedd yn amhrisiadwy. Yn y garafán uwch Bwlchtocyn gwelais sawl lleuad llawn yn 'ariannu'r lli' wrth godi tros fynyddoedd Meirionnydd, a chlywais 'gerddi'r môr yn dwfn anadlu . . . wrth droi'n ei gwsg' ym Mhorth Ceiriad wedi storm o'r de.

Draw o Borth Ceiriad mae Porth Neigwl, lle mae'r môr ar ei gythlwng – dyma'r mwyaf oll o faeau Llŷn rhwng Cilan a thrwyn mawr creigiog Mynydd y Rhiw a Phenarfynydd a'u gelltydd

sy'n arwain draw i gyfeiriad Aberdaron. Saif eglwys Llanfaelrhys ar ben y dibyn uwchben nifer o gilfachau cul, yn eu plith Porth Ysgo a'i raeadr yn llechu'n swil a'i draeth o gerrig duon mawr a rhimyn o draethell aur. Gerllaw, fel mewn sawl lle arall, bu cloddio am fwynau.

Mae Aberdaron wedi cael ei siâr o sylw, dyma 'ben draw'r byd', ac ym mhen eithaf penrhynnau mae'r dynfa i fynd mor belled ond dim pellach. Wrth gwrs, o gyrraedd pen draw Llŷn, mae yna un lle ar ôl, draw tu hwnt i'r Swnt mae Enlli.

Er mai'r 'Tir Mawr' yw enw tîm Talwrn y Beirdd yr ardal nid oes tîm o feirdd ar Enlli, dim ond hanesion am bererinion a saint. Ugain mil o saint yn ôl traddodiad, a thri ymweliad â'r ynys yn cyfateb i un bererindod i Rufain bell. Mae 'na bererindota yma heddiw hefyd a llawer yn treulio ychydig ddyddiau yn nhawelwch diamser yr ynys.

Mae pawb ddaw yma'n gweld ac yn teimlo rhywbeth gwahanol lle daw dwy afon yn un i lifo tua'r môr yng nghanol y pentref, o dan bont na chodwyd i gario trafnidiaeth ein hoes ni. Os na 'wêl neb mo Enlli o fin y lli' yn Aberdaron mae gan y pentref, fel Aber-soch, ei ddwy ynys ei hun sef Ynysoedd Gwylan;

Y Swnt ac Enlli

Y môr yn galw ym Mhorth y Nant

Penrhyn Glas ger Llithfaen

ond i weld Enlli ar ei gorau rhaid mynd i ben Mynydd Mawr, ac oddi yno hefyd y gwelir gweddill y penrhyn yn ei holl glytwaith godidog, beth bynnag fo'r tymor.

I'r gogledd a'r dwyrain mae'r arfordir yn greigiog a'r gelltydd yn serth nes y down i Borthor, a'i dywod mân fel siwgr eisin yn chwibanu, meddan nhw, o dan eich traed. Lle poblogaidd yw Porthor, mae'r traeth yn braf a'r maes parcio'n hwylus ac mae yno gaffi yn cael ei redeg gan ferched lleol.

Y tro olaf y bûm i yno roedd bore braf, heulog wedi troi'n brynhawn tywyll, gwyntog ac roedd y baned yn hynod dderbyniol, ond fe gofiaf hefyd nofio yno yn hwyr rhyw hydref ar ôl i Haf Bach Mihangel a'i awel gynnes oedi'n hwyrach nag arfer:

Ail bwt o haul, bitw haf
Yn niwedd y cynhaeaf.

Ond fedra i ddim anghofio mai yma y collwyd John Morris, prifathro Ysgol Deunant, Aberdaron wrth geisio achub bachgen ysgol o'r môr, ac mai draw wedyn o Borth Golmon y collwyd tri brawd Tirdyrys wedi iddynt fethu â dod yn ôl wedi bod yn pysgota mewn môr mawr. Roedd hynny yn 1933, ac mae'r coffa amdanynt yn fyw o hyd diolch i englyn R. Williams Parry. Mae'r un ar eu carreg fedd yn wahanol i'r un a gyhoeddwyd yn *Cerddi'r*

Crochan berw Porth Ysgo

Gaeaf, gyda llaw. Yn yr un flwyddyn cafodd dau lanc ifanc a gollodd rwyf wrth g'willa, gosod cewyll i ddal cimwch ym Mhorth Sgadan, eu chwythu yr holl ffordd i Kilkeel yng ngogledd Iwerddon a hynny rhwng pnawn Mercher ac oddeutu deg nos Iau. Cyfanswm o bron i gan milltir mewn llinell syth mewn amser mor fyr, ond fe ddaethant, diolch i'r drefn, a'u cynffonau rhwng eu coesau yn ôl i Lŷn yn fyw ac yn iach.

Peth anghyffredin y dyddiau yma yw llongddrylliad ond fe welodd y glannau hyn ym Mhorth Tŷ Mawr ddau yn yr un lle. Ar fwrw Sul y Pasg 1901 collwyd y *Stuart* ac arni gryn dipyn o wisgi. Adroddwyd y stori a dangos rhai o'r poteli ar raglen deledu yn ddiweddar, ac o gofio mai cyn-weinidog yr efengyl oedd cyflwynydd y rhaglen honno mae'n dda fod y poteli'n dal heb eu hagor. Ond adeg y gyflafan mae'n debyg fod cryn yfed wedi bod a nifer o'r trigolion, hyd yn oed yn yr oes ddirwestol honno, wedi gwneud cryn sôn amdanynt. Dyma un o'r trigolion yn gresynu am hynny:

> Gerllaw yr oedd ffrwd fechan loyw-ber fel grisial, yn sisial rhwng y cerrig; ac yn llifo dros bistylloedd bychain dros y creigiau i lawr tua'r môr, a'i llwybr mor laned â'r awyr ond yr oedd yn well gan ddyn serio ei gylla, pylu ei ymennydd, haearneiddio ei gydwybod, a hyrddio ei enaid i ddinistr bythol gyda hylif y 'cask', yn hytrach na manteisio ar ddiod Duw, – dŵr. O ynfydrwydd – a pha hyd?

Yn 1870 yr aeth y *Sorrento* i drafferthion yn yr union lecyn hwn hefyd. Flynyddoedd yn ôl mae gen i gof gweld peth o olion y *Stewart* ym Mhorth Tŷ Mawr, prin mae'n debyg y gwelwch chi nhw heddiw ag eithrio ar ddistyll isel iawn.

Er nad ydi Porth Dinllaen, fawr mwy nag ewin main o dir yn ymwthio fel bys cnotiog i'r gogledd, mae'n un o ryfeddodau Llŷn. Y gwir yw fod yma ddau ewin o dir; mae gan Drwyn Porth Dinllaen frawd bach tipyn llai, sef Penrhyn Nefyn. Mae i'r ddau eu hynodrwydd a milltir hir o draeth i'w gwahanu. Hanner ffordd ar hyd y traeth daw ffordd i lawr i'r môr o bentref Morfa Nefyn, mae Nefyn yn gwarchod ei draeth ei hun i'r dwyrain yr ochr arall i'r penrhyn sy'n dwyn ei enw. Ger y traeth ar waelod y ffordd, mae nifer o dai, a'r mwyaf ohonynt yw'r tŷ lle'r arferid casglu tollau. Mae'n siŵr fod hwn yn weddol hen a 'does yr un ffenestr ar y llawr isaf oherwydd ei agosrwydd at fin y dŵr. Ar un adeg roedd gwaith brics a simdde uchel gerllaw a phier er mwyn llwytho'r brics i longau. 'Does yma ddim prysurdeb heddiw, 'mae'r môr yn dawel dawel', cwch neu ddau'n siglo'n ddiog ar angor a'r tai drws nesaf i'r Customs House yn gaeafgysgu wrth ddisgwyl ymwelwyr yr haf. Dyna hanes y penrhyn ar ddiwrnod braf o aeaf, dau neu dri'n cerdded y traeth a'r tu ôl i mi roedd dwy chwaer wedi'u lapio fel dau nionyn rhag yr oerfel ar gychwyn tua'r Trwyn. Mynd am dro prynhawn Sul yr oeddent a minnau'n cael cydgerdded â nhw, dwy wraig leol a oedd yn adnabod yr hen le'n dda ac wedi arfer dod yma i chwarae pan oeddent yn blant ac yn dal i gael pleser o grwydro'r glannau'n bur aml. Er syndod mae'r Tŷ Coch ar agor a rhywrai i'w gweld yn stelcian wrth y bar, ond mae pob tŷ arall yn wag a rhyw olwg 'be wna i' arnynt. 'Does yna neb wedi sgubo'r tywod o'r drysau; yn wir, mae rhyw fath o hanner dôr ar draws eu gwaelodion bron i gyd, yr hyn a elwir yn *floodgate* mewn ymdrech i ddal y môr yn ôl pan fydd Dafydd Jones mewn tymer. Mae cwareli'r ffenestri dan haen o heli gwyn a 'does dim mwg yn codi o'r cyrn.

Mae amrywiaeth o enwau ar y drysau, 'White Hall' a fwriadwyd fel gwesty yn ôl y merched, ond Cymraeg yw mwyafrif yr enwau croesawgar fel Henborth, Sŵn y Don, a Môr Awelon. Yr Ymddiriedolaeth Genedlaethol yw'r perchennog erbyn hyn a bydd hynny'n sicrhau na fydd fawr o newid yn y llecyn hwn oni ddaw'r môr i'w feddiannu.

Fe allai pethau fod wedi bod yn dra gwahanol gan mai un bleidlais, mae'n debyg, oedd yna rhwng dewis Caergybi a Phorth

Dinllaen fel porthladd i Iwerddon. Yn ystod y Rhyfel Cartref y llecyn hwn a ddefnyddiwyd am gyfnod yn lle Caergybi ar gyfer y paced longau i Iwerddon. Pe bai'r bleidlais wedi mynd y ffordd arall, byddai'r hafan hon a'r rhan yma o benrhyn Llŷn yn dra gwahanol heddiw. Byddai ffawd wahanol hefyd pe bai glannau Edern, ychydig i'r gorllewin, wedi'u dewis yn safle i godi gorsaf niwclear, fel y bu sôn unwaith.

Ond *Cerddi Huw Puw* yn anad dim a roes y llecyn hwn ar fap yr ymwybyddiaeth Gymreig:

> Mae sŵn ym Mhortin-llaen, sŵn hwyliau'n codi,
> Blocie i gyd yn gwichian, Dafydd Jones yn gweiddi,
> Ni fedra i aros gartre yn fy myw,
> Rhaid imi fynd yn llongwr iawn ar Fflat Huw Puw.

J. Glyn Davies a roes inni gyfoeth o ganeuon a cherddi am y môr. Bu'n ysgolhaig Celtaidd ac yn Athro ym Mhrifysgol Lerpwl, y ddinas lle magwyd ef yn un o bedwar mab i deulu Cymraeg. Ei frawd oedd yr heddychwr George M. Ll. Davies a'i daid ar ochr ei fam oedd John Jones, Tal-y-sarn, y pregethwr hynod a phoblogaidd. Ond ar y môr y dechreuodd ei yrfa gyda nifer o gwmnïau llongau hwyliau yn Lerpwl, gan weithio am gyfnod i gwmni o Seland Newydd cyn cael gwahoddiad i sefydlu llyfrgell ym Mhrifysgol Cymru, Aberystwyth a allai ddod maes o law yn sail i'r Llyfrgell Genedlaethol. O'r fan honno y penodwyd ef yn llyfrgellydd ym Mhrifysgol Lerpwl. Er iddo gartrefu mewn sawl lle yng Nghymru ac er cymaint atyniad glannau Llŷn, ddaeth o erioed yma i fyw er iddo dreulio llawer o amser ar wyliau yn Edern.

Sawl llong, tybed, a adawodd yr hafan i deithio'r glannau a 'chostio ar led' i bedwar ban byd, a pha sawl llongwr a'i lwnc yn tynhau a welodd y glannau'n diflannu dan niwlen lleithder eu llygaid wrth adael cartref heb wybod mwy na'r rhai a chwifiai'r lliain gwyn ar y traeth pa bryd, os o gwbwl, y deuent yn ôl? Wyddom ni heddiw ddim am yr amserau a fu, ond mae cerddi a chaneuon byrlymus ac atgofus J. Glyn Davies yn dod â'r dyddiau hynny fymryn yn nes.

Mae'n werth cerdded yr holl ffordd i'r Trwyn; fel arfer yn y gaeaf mae'n lle da i weld morlo, ond nid heddiw. Mae'r haul yn machlud yn gynnar ac yn gyflym yn Ionawr y tu ôl i'r Trwyn ac mae'n oeri yma yn y cysgod. Serch hynny, mae'r olygfa ar draws glesni'r môr tua'r Eifl, Tre'r Ceiri a Nant Gwrtheyrn, sy'n dal i orwedd ym mhelydrau'r haul, yn hynod ddymunol. Erbyn i mi gyrraedd yn ôl at waelod y ffordd ym Mwlch Bridin mae nifer o aelodau clwb pysgota lleol y Three Herrings wedi cyrraedd ar gyfer cystadleuaeth, er nad oedd yr unigolyn y bûm i'n sgwrsio ag ef yn rhy obeithiol am fachiad. 'Digon tlawd ydi'r 'sgota,' medda fo.

Os nad oes fawr neb heddiw'n sôn am benwaig Nefyn, roedden nhw'n heigio yma ar un adeg, ac mae cofnod yn rhywle'n nodi fel yr oedd dros bum mil o farilau o bysgod hallt yn mynd oddi yma'n flynyddol yn y ddeunawfed ganrif. Ac nid pysgod oedd yr unig bethau a gâi eu hallforio. Ddwy ganrif yn ôl rhwng 1809 ac 1811 mae'r teithiwr Edmund Hyde Hall yn sôn am y cyflenwadau mawr o wyau a ffowls a anfonid i'r farchnad yn Lerpwl. Mewn llyfr gan Walter Davies (Gwallter Mechain) am ffermio a'r economi wledig, eto tua'r un cyfnod, dywedir mai Lerpwl oedd tref farchnad pobl Ynys Enlli a dywed David Thomas yn *Hen Longau Sir Gaernarfon* fod pedwar allan o bob pum llwyth a hwyliai o borthladdoedd Llŷn yn mynd i Lerpwl. Ceirch a haidd, menyn a chaws oedd y cynhyrchion pwysicaf o'r ffermydd.

Yn ôl llyfryn un swyddog tollau, byddai haidd yn mynd i Lerpwl, Caer, y Bermo, Dulyn yn ogystal â mannau eraill. Ar adegau o brinder achosai'r allforio anniddigrwydd mawr ac ym Mhwllheli yn 1752 ceisiodd criw atal llwyth o haidd rhag cael ei roi yn howld llong o'r enw *Blackbird* i'w gludo i'r Bermo.

Mae'r llong hwyliau sy'n geiliog gwynt ar dŵr un o'r ddwy eglwys ac sydd bellach yn gartref i Amgueddfa Forwrol Llŷn yn atgof o bwysigrwydd y môr.

Ac roedd yna fasnachu ddwy ffordd. Ceir cofnod o lwyth glo yn cyrraedd Pwllheli mor gynnar ag 1588, ar gyfer y byddigions yn eu plastai, ond wedi dileu'r dreth ar y glo a gludid ar y môr yn 1831, dywed J. Dilwyn Williams i nifer o iardiau glo gael eu codi mewn sawl porthladd. Yn Archifdy Gwynedd mae mwy nag un llun o longau'n cael eu llwyth o lo a chalch wedi'u gwagio ar draethau'r penrhyn. Cyrraedd ar ben llanw a chael eu gwagio ar drai, ac mae cofnod o lwythi amrywiol iawn eu natur yn cynnwys haearn, tar, triog, llestri, crochenwaith, llin a choed heb anghofio halen a oedd mor bwysig i halltu pysgod.

Mae cofnodion y mewnforion yn rhyfeddol yn wir. Mor bell yn ôl ag 1378-80 roedd llongau o dde Lloegr yn dod â gwin i Bwllheli, ac yn 1405, adeg gwrthryfel Glyndŵr, roedd chwech o longau o Ffrainc yn llawn gwin a sbeisys wedi'u dadlwytho yn Llŷn. Ac ni ddylid anghofio chwaith fod pobl hefyd yn teithio ar y llongau – gwyddys, er enghraifft, i rai o drigolion Llŷn fynd ar draws y Bae i Geredigion i wrando ar Daniel Rowland yn pregethu yn Llangeitho – a hyd yn oed ar ôl i oes yr hwyliau ddirwyn i ben roedd stemars yn dod â nwyddau i borthladdoedd Llŷn ac yn cludo cynnyrch i ffwrdd. Âi moch o Borth Dinllaen i Lerpwl ar y *Vale of Clwyd* a llongau eraill ar ôl 1832, a hwyliai'r stemar *Dora* yno a'r enw Warws Dora ar fin y dŵr yn dyst o hynny hyd heddiw. Nid oedd Llŷn yn eithriad, ond efallai i'r farchnad forwrol barhau yma am gyfnod hwy oherwydd fod y penrhyn mor anghysbell a'r ffaith fod y rheilffordd yn dod i ben ym Mhwllheli.

Yn Nefyn y magwyd Elizabeth Watkin-Jones, awdures llyfrau plant a oedd yn hynod boblogaidd pan oeddwn i'n fachgen. Pwy o ryw oedran arbennig na ddarllenodd am *Luned Bengoch*, a beth am *Esyllt*, *Lois*, *Y Dryslwyn* a ffefryn yr awdures ei hun, *Plant y Mynachdy*? Y cyfan, gyda llaw, ac eithrio *Y Dryslwyn* wedi'u lleoli yn Nefyn a'r cyffiniau. Trwy'r llyfrau yma y deuthum yn ymwybodol o Nant Gwrtheyrn, yr hen bentref chwarelyddol sydd bellach yn gartref balch i'r Ganolfan Iaith Genedlaethol.

Y cyfan oedd yma unwaith ar lwyfan gwastad uwchben y môr oedd dwy neu dair o ffermydd, ond gwelwyd gwerth y garreg galed, yr ithfaen, i greu setiau i wynebu a phalmantu strydoedd a daeth diwydiant i'r ardaloedd gwledig. Codwyd dwy res o dai a chrëwyd pentref yn y Nant; ymhen blynyddoedd wedyn, a'r chwareli wedi cau a'r pentref yn dadfeilio, fe'u prynwyd i greu canolfan iaith. Bu llanw a thrai yn ei hanes ond yn ddiweddar gwnaed gwaith sylweddol i'w moderneiddio a bellach mae'r hen le wedi'i sbriwsio i fod yn ganolfan iaith a threftadaeth hynod safonol a dymunol. Mae'n anodd credu heddiw wrth edrych ar olion y gweithfeydd fod tair chwarel o bwys – Chwarel y Nant, Chwarel Cae'r Nant a Chwarel Carreg y Llam – wedi bodoli yr ochr yma i'r Eifl.

Draw yr ochr arall i'r mynydd mae Trefor, pentref unigryw mewn sawl ffordd, ond a grëwyd yn sgil chwarel y garreg ithfaen. Mae'r Gwaith Mawr yn gefnlen i'r pentref ac er bod Trefor ar lan y môr mae'n debycach ei naws i bentrefi'r chwareli llechi draw yn nyffrynnoedd Eryri, gan fod i Drefor, a Llanaelhaearn, yng nghysgod y mynydd eu tywydd eu hunain. Erbyn cyrraedd Trefor mae rhywun wedi ffarwelio â Llŷn.

Daw'r rhan hon o'r daith i ben yn Ninas Dinlle ar ben hanner bryncyn – diflannodd y gweddill i'r môr lle'r oedd unwaith fryngaer o bwys. Dyma ardal y Mabinogi; Maen Dylan, ar ôl Dylan Eildon, yw'r garreg fawr ar lan y môr tuag at Aberdesach ac mae nifer o enwau'n ymwneud â Lleu a Gwydion yn y fro. Yr holl ffordd o Aberdaron hyd yma buom yn dilyn llwybr y pererinion tuag at Enlli, ond mae'r treialon a'r caledi a'u hwynebai y tu hwnt i'n hamgyffred ni heddiw. Mae'n llawer haws ar bererinion yr unfed ganrif ar hugain sy'n dotio ar harddwch natur a rhyfeddod y cread nag oedd hi ar y rhai a deithiai gynt i ymbil am faddeuant a dod i delerau â'u Creawdwr.

Tre'r Ceiri

Morloi llwyd ar Enlli

8 MÔN

O Draeth Dulas hyd Lyn Cerrig Bach

Ynysoedd, llynnoedd a beiciau modur

Pen Llŷn o Niwbwrch, Ynys Mon

Pwy a rif Dywod Llifon?
Pwy rydd i lawr wŷr mawr Môn?

Pan ddaeth cwpled Goronwy Owen i gof roeddwn yn eistedd ar un o draethau gogleddol Môn, cryn bellter o Lifon a oedd un amser ynghyd â Malltraeth yn ffurfio cwmwd Aberffraw ym mhen arall yr ynys. Ar ddiwrnod heulog roedd y twyni isel y tu cefn i mi'n rhoi cysgod rhag 'gwegil chwyrn y gwynt' a'r olygfa i'r gogledd yn drawiadol. Draw i'r chwith mae ynys greigiog isel a thŵr wedi'i adeiladu arni. Ymhellach i'r chwith Traeth Dulas, ac i'r dde traeth mawr poblogaidd Llugwy a'i faes parcio, ond nid oes modd dod â char o fewn cyrraedd i Draeth yr Ora, ac ar droed yn unig y dewch chi yma. Ar ben llanw ar ôl cyrraedd 'does yma ddim ond cryman o draeth euraid rhwng y ddau benrhyn. Tydi o ddim gwahanol heddiw i'r hyn ydoedd pan welais i'r cyfeiriad cyntaf at y lle pan oeddwn i'n hogyn yn *Helynt Coed y Gell* gan G. Wynne Griffith, nofel a gyhoeddwyd wedi iddi ennill gwobr yn Eisteddfod Genedlaethol Caergybi 1927. Tydi o ddim gwahanol i'r hyn ydoedd ganrif a mwy cyn hynny chwaith, yn y nofel antur afaelgar honno a osodwyd yn nyddiau Boni a phrysurdeb Mynydd Parys, a sgwner ddeufast o Ffrainc wedi'i hangori yn y bae. Un o'r mannau digyfnewid a phrin hynny yw Traeth yr Ora. Ni fu cloddio na thyllu yma, ni chodwyd erioed yma lanfa chwaith. Os mai rhimyn o draeth cysgodol sy'n mynd â'ch bryd, does dim llawer i guro hwn!

Roedd *Helynt Coed y Gell* ymhlith nifer o nofelau, o glywed eu darllen mewn dosbarth ar brynhawn Gwener flynyddoedd yn ôl, a'm denodd at lyfrau ac at ddarllen. Nid pob nofel o'i lleoli mewn ardal sy'n defnyddio priod enwau'r llecynnau ynddi, ac yn hynny o beth roedd nofel G. Wynne Griffith yn eithriad. Ond er yr atgof a'r diddordeb, fûm i erioed yma o'r blaen. Cefais gip ar Draeth Dulas o'r car wrth basio lawer gwaith, gan addo i mi fy hun yr awn heibio rywbryd. Wel, heddiw dyma gadw'r addewid, nid yn unig cerdded i gyrion y traeth, ond croesi'r aber a chyrraedd y rhimyn main o drwyn sy'n gwneud ei orau, ond yn methu, i atal afon Goch rhag tywallt i'r môr. Fel yr ydw i'n cyrraedd y trwyn mae'r afon yn cael ei threchu gan y llanw, ac mae llif di-droi'n-ôl y llanw yn dechrau llenwi'r bae. O fewn awr neu ddwy bydd y cyfan dan ddŵr, ond ni fydd llanw heddiw yn llwyddo i symud y ddwy long fechan sy'n dynwared dau forfil ar eu boliau ac wedi'u gadael yn erbyn eu hewyllys ar dir sych i 'amser swrth a'r hin' eu dadfeilio.

Rhwng Pentre-eiriannell a'r môr y mae Coed y Gell – coedwig fechan ar lethr serth a cherrig mawr yn ei chanol wedi'u gorchuddio gan dyfiant hafau lawer. Un ddrysfa fawr o goed cyll a masarn, mieri a gwyddfid, lle na fu llif na bwyell ers cenedlaethau. Lle rhamantus a dweud y lleiaf, yn rhannol am mai yma y lleolwyd y nofel, ond hefyd am fod natur yno ar ei gorau, heb ei chaethiwo na'i llesteirio yng nglesni byrlymus Mai.

O ben uchaf y coed mae'r glannau i'w gweld yn glir gan gynnwys Ynys Dulas y cyfeiriais ati'n gynharach. Ar hon yn 1924 adeiladwyd tŵr bychan crwn â phigwn o do i gadw bwyd ac i gynnig cysgod i bwy bynnag a fyddai'n ddigon anlwcus i fod mewn llongddrylliad. Yr adeiladydd oedd y Fonesig Neave o Blas Dulas, ond Ynys Gadarn oedd ei henw yn ôl tystiolaeth ar fap a wnaed gan Lewis Morris yn 1748.

Gwelodd glannau Môn ei siâr o drychinebau; gerllaw Moelfre mewn storm enbyd y collwyd y *Royal Charter*, milgi o long yn ei dydd, a thros 450 o'i theithwyr ar daith o Awstralia i Lerpwl. Mae cofeb i nodi'r digwyddiad ger Llwybr yr Arfordir ac un arall ym mynwent eglwys Llanallgo lle casglwyd y cyrff i'w hadnabod o dan oruchwyliaeth y rheithor, y Parchedig Stephen Roose Hughes. Gwaith na fyddai neb byth yn ei ddeisyfu a chymwynas eu hadnabod yn un na ddylid byth ei hanghofio.

Colli'r *Royal Charter* yn 1859 oedd yr enwocaf o ddigon o longddrylliadau Môn ond ganrif yn ddiweddarach, fwy neu lai i'r diwrnod, collwyd yr *Hindlea* ond nid y criw arni, diolch i wrhydri

criw bad achub Moelfre a achubodd bawb oedd arni. Daeth y gamp honno ag un o ddwy Fedal Aur RNLI i'r cocsŷn Dic Evans, roedd y llall am achub criw y *Nafsiporos*, llong o Wlad Groeg ym 1996, gan wneud Dic Evans yn un o bump yn unig o lyw-wyr badau achub glannau gwledydd Prydain a enillodd ddwy fedal aur. Draw i gyfeiriad Benllech collwyd HMS *Thetis,* llong danfor, ynghyd â bron i gant o griw. Ar dywydd braf nid oes unlle tebyg yn y byd i'r glannau yma, ond a'r gwynt yn rhuo a'r môr yn berwi mae'n stori dra gwahanol. Dyna pam fod chwe golau o gwmpas Môn. Roedd un yn arfer bod ger Moelfre, ond mae'r agosaf bellach ar Drwyn Leinws ar Drwyn y Balog. Ar Ynysoedd y Moelrhoniaid, Morglawdd Caergybi, Ynys Lawd, Ynys Llanddwyn a Thrwyn Du, Penmon y mae'r lleill – i gyd bellach yn hunangynhaliol, heb yr un dyn byw ar eu cyfyl i'w cynnal a'u cadw o ddydd i ddydd, a dyna ffordd arall o fyw wedi diflannu oddi ar y glannau.

Yn rhyfedd ddigon dim ond un dref o unrhyw faintioli sydd ar arfordir Môn, os eithriwch chi lannau'r Fenai, a Chaergybi yw honno. Dyma ben draw yr A5, y ffordd a adeiladwyd gan Thomas Telford i hwyluso'r daith rhwng Dulyn a Llundain pan oedd Iwerddon dan bawen yr Ymerodraeth ac ymhell cyn dyddiau ei rhyddid.

O ben Mynydd Twr mae'r olygfa o forglawdd anferth Caergybi, yr hiraf ar Ynys Prydain, yn un drawiadol iawn. Fe'i hadeiladwyd ar gost o bron i £1.3 miliwn rhwng 1845 ac 1873 er mwyn tawelu dyfroedd yr harbwr newydd ac mae'n nadreddu allan i'r môr ar ffurf Z am filltir a hanner. Cyflogwyd mil o ddynion i'w adeiladu a chollodd mwy na deugain ohonynt eu bywydau wrth y gwaith.

Yn amlach na pheidio, wrth gyfeirio at Ynys Môn, mae'n hawdd anghofio fod nifer o ynysoedd o gwmpas y fam ynys, y fwyaf o ddigon yw Ynys Gybi. Mae'r daith heddiw o Fôn i Ynys Gybi'n un ddidrafferth iawn diolch i'r Cob neu'r Stanley Embankment, a gynlluniwyd gan Telford ac a agorwyd yn 1822 bedair blynedd cyn cwblhau yr 'uchelgaer uwch y weilgi', campwaith y pensaer a'r peiriannydd, a gydiodd dir Môn wrth y tir mawr. Cafodd y Cob ei enw Saesneg ar ôl y tirfeddiannwr lleol, William Stanley y Rhyddfrydwr a fu'n aelod seneddol Môn rhwng 1837 ac 1874.

Ymhlith yr ynysoedd o gwmpas y glannau mae Ynys Llanddwyn, ynys y cariadon, ac Ynys Cwyfan lle saif eglwys fechan seml nad oes modd mynd ati ar benllanw. Diolch i sawl pont, o ddyddiau'r bont raff i un alwminiwm ein dyddiau ni, mae cysylltiad parhaol wedi bod ag Ynys Lawd lle saif y goleudy enwog, a heb fod ymhell mae Tŵr Elin a gwylfa'r Gymdeithas Frenhinol Gwarchod Adar (RSPB). Codwyd hwnnw gan yr aelod seneddol y soniwyd amdano fel tŷ haf i'w ferch.

Fferi Iwerddon yn cyrraedd

Eglwys yn y Môr, Cwyfan Sant, ger Aberffraw

Patrymau yn y tywod ger Rhoscolyn

Daw miloedd o bobl bob blwyddyn draw at y Tŵr i weld yr adar ar y clogwyni gerllaw, a'r lle ar ei brysuraf yn gynnar yn yr haf pan ddaw'r carfilod, adar y cefnfor, fel y llurs a'r gwylog, i nythu ar greigiau'r fro. Mae yma wylanod hefyd ac ymhlith yr adar prinnaf ac efallai y mwyaf trawiadol efallai mae'r frân goesgoch a'r hebog tramor.

Os byth yr ewch chi ar sgawt i Ynys Lawd, a da chi cofiwch fod gan y mwyafrif o lecynnau ym Môn enwau Cymraeg er gwaetha'r 'Bay' a ychwanegwyd mor ddiangen at ambell enw fel Cemais a Threarddur; Ynys Lawd ac Ynys Arw yw South a North Stack. Ewch am dro i ben Mynydd Twr sydd gerllaw; mae'r hen fynydd creigiog, moel sydd â rhannau ohono dan fantell o rug yn codi i 721 troedfedd ond peidied neb â'i ddilorni na meddwl mai dychymyg carlamus trigolion cynnar yr ynys sy'n gyfrifol am ei alw'n fynydd. O'i gopa mae Ynys Gybi fel map o dan eich traed a beth bynnag y tywydd mae'r olygfa'n un hynod. Dewiswch ddiwrnod clir ac fe welwch i lawr am Ben Llŷn, bryniau Wicklow, heb sôn am Ynys Manaw a mynyddoedd Ardal y Llynnoedd. Un prynhawn rhwng cawodydd, wedi rhai oriau digon siomedig o wylio adar, bûm ar ei gopa yn gwylio un o longau mawr cyflym Caergybi'n dychwelyd o Iwerddon i ddiddosrwydd yr hafan islaw ac yn dyfalu pa sawl cwch a chwrwgl a llong o wahanol wneuthuriad a maint a fu dros y milflwyddi'n mordwyo'n ôl a blaen rhwng y ddwy ynys? O Oes y Cerrig a'i chromlechi fel Barclodiad y Gawres ger Bae Trecastell i oes aur y llongau hwyliau a chychod pleser ein dyddiau ni, bu'r môr yn draffordd i genedlaethau rhy niferus i'w cyfrif. Dros y blynyddoedd mae archaeolegwyr ym Môn wedi datgelu llawer iawn am hanesion yr ymwelwyr â'r ynys, y Rhufeiniaid a'r Llychlynwyr yn eu plith, a gerllaw Tŷ Mawr ar y llechwedd mae olion grŵp o gytiau o'r ail ganrif ac yn ddiweddarach safle eang Caer y Twr ar y copa a gweddillion ei waliau amddiffynnol.

Ond yn ddisymwth daw cawod drom o'r môr i dorri ar fy synfyfyrio a'm gyrru ar ffo. 'Doeddwn i fawr gwaeth, ac erbyn i mi gyrraedd y car roedd y glaw wedi cilio mor sydyn ag y daeth, ond coron ar y diwrnod oedd clywed deunod y gog o'r llethrau uwchlaw cyn i mi droi am adref. Yr unig dro i mi glywed yr aderyn swil yma ym Môn, aderyn wrth iddo brinhau, a enciliodd i unigeddau'r ffridd.

Efallai mai'r enwocaf o fynyddoedd Môn yw Mynydd Parys. O grombil hwn daeth y copr a ddaeth â chyfoeth annirnadwy i'r ynys ac a greodd Borth Amlwch. Draw wedyn i'r gogledd-ddwyrain yn codi bron i 540 troedfedd mae Bwrdd Arthur, un o berlau cudd Môn. Mae'r enw'n addas gan fod y copa eang o garreg galch bron yn wastad ond gyda'r mymryn lleiaf o oleddf. O'r nyth brân yma o fynydd mae golygfeydd gwirioneddol drawiadol. Nid yw'n anodd anwybyddu Eryri draw i'r dwyrain oherwydd godidowgrwydd yr olygfa i gyfeiriadau eraill. Draw i'r gorllewin mae ehangder y Traeth Coch, ac ymhellach Moelfre. Bae cyffredin ar benllanw yw Bae Traeth Coch, ond a'r môr wedi troi ei gefn ar y tir am ychydig oriau, daw erwau lawer o dywod melyngoch i'r golwg sy'n ymestyn o dan Bentre-llwyn yr holl ffordd heibio Trwyn Dwlban i Benllech. Dyma un o draethau poblogaidd gogledd yr ynys, ac yn llawer mwy o bentref na'r hyn a welwch wrth yrru ar hyd y briffordd draw o'r Borth i Amlwch. Heddiw 'does fawr mwy o fywyd ar y traeth islaw nag ambell i ymwelydd ac ambell i gwch hwylio, ond roedd yma brysurdeb mawr unwaith. Ar bont sy'n croesi afon Nodwydd mae llechen i gofio'r frwydr ym Mhentraeth gerllaw lle lladdwyd y tywysog a'r bardd Hywel ab Owain Gwynedd yn 1170, ac arni'r llinell 'Caraf ei morfa a'i mynyddoedd'. I lawr yma hefyd lle mae cors a morfa a thraethau cerrig a thywod yn cyfarfod mae'r byd prysur modern yn ymddangos yn bell a dibwys.

Ar brynhawn braf o Fai mae'r drain gwynion yn goleuo'r gwrychoedd a'r onnen yn unig o'r holl goed sydd heb lawn ddeffro o'i thrwmgwsg, ond yn y cynhesrwydd cynnar mae ei hawr hithau'n agosau hefyd. Arwydd sicr fod calch yn y tir yw presenoldeb yr ynn. Ar benllanw, mae'r traeth mawr eang dan ddŵr, a'r tywod cynnes wedi'i guddio ac eithrio draw ar yr ymylon dwyreiniol. Clywais stori'n lleol am un cymeriad a fyddai'n rhyfygu mentro am beint ar draws y bae i'r dafarn ac igam-ogamu'n ôl wedyn gan gadw un llygad o leiaf ar y golau yn ffenestr ei gartref a fyddai'n ei lywio i'w wely.

Bu yma brysurdeb mawr unwaith a glo'n cael ei allforio o'r traeth, dyma wrth gwrs, ben arall y gwendid sy'n hollti Ynys Môn o Falltraeth heibio Llangefni a Thalwrn i'r Traeth Coch, ac i lawr ar gors ger Pentreberw roedd pyllau glo ar un adeg. Byddai calchfaen yn mynd oddi yma hefyd o rai o chwareli'r glannau a thystiolaeth o hynny yw Castell Mawr draw i gyfeiriad Benllech, lwmp anferth o galchfaen a adawyd wedi i ddwy chwarel reibio'r graig o ddau gyfeiriad.

Tawel heddiw yw'r Ship Inn, neu The Quay fel yr oedd hi 'slawer dydd. Bryd hynny roedd tafarndai fel hon yn fwy na rhywle i ddisychedu gweithwyr, er cymaint yr angen. Roedd yn ganolbwynt i'r hyn oedd ar droed yn yr harbwr ac ar hyd y ceiau bychain gerllaw, dyma'r lle i brynu a gwerthu cargo, llogi ac yswirio llongau a chwilio am griw, a'r tebygrwydd yw mai llongwr neu gyn-longwr a'i deulu fyddai'n gofalu amdani.

Ond yn ôl ar lwyfandir Bwrdd Arthur mae'r hanes yn mynd yn ôl ymhellach o lawer, yn ôl i ddyddiau ymwelwyr o'r Alban. Dyma leoliad Dinsylwy, caer a rhan olaf ei henw yn cyfeirio at y Solwy neu'r Selgovae a dywedir bod cysylltiad rhwng y llecyn hwn a chaerau'r Rhufeiniaid yn Segontium (Caernarfon i ni heddiw) a Chaer y Twr. Yma eto mae gweddillion hen gytiau oddi mewn i olion wal amddiffynnol. Mae'r safle yn un eang, tua 17 erw i gyd, ond heddiw ar ddiwrnod braf eithriadol yr awel gref a'r olygfa sy'n cipio'r anadl.

Islaw mae un o eglwysi hynafol Môn mewn llecyn o berffeithrwydd, a'r olygfa tua Thrwyn Du Penmon, Ynys Seiriol a Phen y Gogarth yn anfarwol. Mae'r un olygfa yn fwy trawiadol

byth o fewn ffrâm gyfyngedig y lôn wledig sy'n mynd heibio Ysgoldy Llanfihangel yn is i lawr. Hawdd dychmygu'r saint ar bnawn Sul wedi'r oedfa yn oedi am sgwrs cyn troi am adref ac yn dotio at ryfeddod y golygfeydd a champ bensaernïol y Creawdwr.

Cyfeiriais eisoes at nifer o chwareli ond gwaith pwysig arall yn y gorffennol oedd cynhyrchu brics. Mae'r mwyaf trawiadol o ddigon o'r gweithfeydd ym Mhorth Wen, ond er hynoted y gweddillion diwydiannol a'r bwa craig ar lan y môr, cofio am ddiwrnod o chwilota am aderyn-drycin-y-graig a'i nyth a wnaf yn ôl yng nghanol chwedegau'r ganrif ddiwethaf. Roedd y naturiaethwr Ted Breeze Jones am gael llun o'r aderyn ar ei nyth, ond gan fod y llethr yn serth a chreigiog roedd am i mi ei ddiogelu ar raff wrth iddo fynd at y nyth i gael ei luniau. Prynhawn cofiadwy oedd hwnnw. Roedd cael cyfle i weld yr aderyn prin yma a ddaeth i nythu yn ddiweddar i lannau Môn yn rhoi gwefr, fel yr oedd treulio diwrnod yng nghwmni'r adarydd a'r ffotograffydd profiadol. Ond yr hyn sy'n sefyll fwyaf yn y cof yw'r croeso amheus a gawsom mewn caffi yn Amlwch yn hwyr y prynhawn hwnnw wedi i'r adar ein chwistrellu â chymysgedd amddiffynnol drewllyd o weddillion pysgod ac olew.

Y pyllau setlo ar Fynydd Parys

Gwaith cynhyrchu brics Porth Wen, Amlwch

Yr Wylfa

Nid nepell o Borth Wen i gyfeiriad Cemais mae penrhyn Dinas Gynfor ger Llanlleiana, y llecyn mwyaf gogleddol yng Nghymru. Mae'r golygfeydd yn drawiadol i'r ddau gyfeiriad a'r enwau ar y baeau bychain a'r amrywiol benrhynnau yn farddoniaeth. Welais i erioed gerdd i Orsaf yr Wylfa er ei phwysiced. Os oes angen gorsafoedd niwclear, a'r tebygrwydd yw y gwelwn ni godi un arall maes o law, 'does bosib fod angen eu codi yn y fath lecyn trawiadol! Gwelodd glannau Môn nifer fawr o ddiwydiannau dros y canrifoedd, ond buan y daeth amser a natur i fwytho a graddol ddileu'r creithiau. Bydd unrhyw adfeilion niwclear yn hagru ac o bosib yn difwyno'r amgylchedd am genedlaethau i ddod, a pham fod angen yr holl dir a pham fod anheddau cyfagos yn sefyll yn wag?

Yr hynotaf o holl ffurfiau'r glannau yn y fan hon yw'r esgair hir o ro yng Nghemlyn. Y tu ôl iddi mae lagŵn, ond mae hwnnw'n bodoli yn rhannol oherwydd gwaith a wnaed i greu argae gan y Capten Vivian Hewitt a oedd yn berchennog Bryn Aber. Roedd yntau yn adarydd brwd ac yn gasglwr wyau adar hefyd mae'n debyg. Ar ei farwolaeth yn 1965 prynwyd y tir gan yr Ymddiriedolaeth Genedlaethol a heddiw mae'n warchodfa natur dan ofal Ymddiriedolaeth Natur Gogledd Cymru. Mae'r llecyn trawiadol a'r cannoedd os nad miloedd o fôr-wenoliaid ac adar eraill yn denu adarwyr dirifedi yn yr haf. Yma y gwelir y nythfa fwyaf o fôr-wenoliaid pigddu yng ngwledydd Prydain ac mae yma gyfrif niferus hefyd o fôr-wenoliaid cyffredin a môr-wenoliaid y gogledd. Er eu bod yn osgeiddig ar eu hadain yn dawnsio ar yr awel yna'n hofran eiliad cyn plymio am bysgod bach, dyma mewn nythfa rai o'r adar mwyaf aflafar sy'n bod. Mae iddynt ryw hen sŵn cwerylgar, a'u galwadau'n gras hyd yn oed wrth hedfan yn unigol neu'n ddwy neu dair gyda'i gilydd.

Rhyfeddod arall yw fel y medr planhigion dyfu mewn lle mor ddigroeso a didostur, ac ar dirwedd sy'n newid yn gyson dan effaith y môr a'i stormydd. Yn ei dymor mae betys a bresych a

Morwenoliaid y Gogledd yn codi twrw ar Ynysoedd y Moelrhoniaid

chelyn y môr yn llwyddo ar y cerrig, a'r gludlys arfor a chlustog Fair a'r pabi corniog melyn yn gafael lle bynnag mae llwyaid o bridd. Adar y glannau ydi'r llwydfron a chlochdar y cerrig, y ddau yn hoff o glwydo mewn llefydd amlwg ar fieri cyn codi a symud wrth i chi agosáu. Wrth gyrraedd terfyn eu cynefin fe godant yn uchel a mynd yn ôl i'r fan y'u gwelsoch gyntaf. Mae'n syndod pa mor diriogaethol yw'r ymwelwyr haf yma.

Denu miloedd o ymwelwyr haf hefyd a wna traethau deheuol Ynys Môn ac Ynys Gybi. Mae Trearddur a'i gadwyn o greigiau yn hynod boblogaidd a masnachol. Ar brynhawn Sul gwyntog braf mae'r lle'n fwrlwm o bobl, ac er mor boblogaidd yw torheulo a nofio dyma chwaraele'r bwrddhwylwyr sy'n gwibio'n ôl a blaen ar adain y gwynt ac a wnaeth y lle hwn yn gynefin ers blynyddoedd. Newydd ddyfodiaid cymharol yw'r rheini sy'n syrffio'r tonnau ar y byrddau ond yn dal y gwynt trwy ddefnyddio barcud enfawr sydd ar adegau yn eu codi oddi ar wyneb y tonnau wrth iddynt, gydag amseru a chytgord perffaith rhwng gewyn ac ymennydd, newid cyfeiriad. Hon ydi ardal y nofel enwog *Madam Wen* gan W. D. Owen, a rhyfedd oedd gweld cydnabod hynny mewn llyfryn Saesneg o hanes yr ardal mewn siop leol a gedwid gan dramorwr croesawgar a hannai o isgyfandir India.

Yn ogystal â'r awel barhaol ar y glannau dyma hefyd ardal lle mae synau dieithr yn tarfu ar yr heddwch. Dyma ardal maes awyr y Fali ac awyrennau ymarfer y Llu Awyr. Cartref hefyd yr Ail Sgwadron ar Hugain a'i hofrenyddion melyn a ddaeth ag achubiaeth i sawl un ar fôr a thir. Mae sawl ymwelydd â glannau Môn a mynyddoedd Eryri yn fawr eu dyled i'r criwiau a'u peiriannau. Draw wedyn weithiau ar benwythnosau, ar adain yr awel o gyfeiriad Bodorgan, clywir rhu'r beiciau modur o Faes Rasio Môn. Ond prin y mae'r synau yma'n tarfu ar y torfeydd a ddaw yma i fwynhau heulwen a thywod y traethau o Abermenai a Llanddwyn draw i Falltraeth, Aberffraw, traethau Rhosneigr, Crigyll, Cymyran, Traeth Llydan, Borthwen a Rhoscolyn. Pob un yn ffefryn i rywun. Mae traethau'n aml yn denu'n ôl; mae rhai pobl yn etifeddu traethau, yn cofio dotio arnynt yn eu plentyndod ac yn dod yn ôl dro ar ôl tro, eraill yn eu darganfod eu hunain ac yn trosglwyddo'u hoffter ohonynt i'w plant. Mae bro'r traethau mawrion yn Llanfair-yn-neubwll, fel mae'r enw'n awgrymu, hefyd yn fro'r llynnoedd. Dyma ardal Llyn Traffwll lle'r anfonodd Cynan ei nico 'ar neges bach i Gymru lân' yn y gerdd enwog honno a ysgrifennodd ym Macedonia yn ystod y Rhyfel Mawr, ac yntau ymhell o gartref. Un arall o'r llynnoedd, a'r un mor enwog, yw Llyn Cerrig Bach. Adeg adeiladu'r maes awyr cafwyd hyd i drysorau fyrdd o ryw hen oes bellennig yn nyfroedd y llyn. Ymhlith dros 150 o ddarnau efydd a haearn yn y celc a ddaeth allan o'r mawn ar fin y llyn roedd cleddyfau, pennau picelli, darnau o darianau, cryman medi, cylch haearn oddi ar olwyn ynghyd â phlac addurnedig a oedd yn debyg iawn o ran patrwm i greiriau tebyg a ddarganfuwyd yn La Tene yn y Swistir. Yn ôl profion diweddar credir bod yr holl ddarganfyddiadau yn dyddio o gyfnod dair canrif cyn geni Crist hyd at ddiwedd y ganrif ar ôl y geni gwyrthiol. Tybed ai offrwm oedd y cyfan gan y Derwyddon cyn neu wedi rhyw frwydr fawr? Chawn ni byth wybod. Heddiw, os oes offrymu ym Môn, fe ddigwydd hynny ar y traethau i dduw yr haul.

Fferm bysgod Penmon ac Ynys Seiriol

Ynys Lawd

9 **Y FENAI**

O Landdwyn hyd Benmon

Pontydd a thyrau

Pont Menai

Is nef nid oes un afon
Lased a hardded â hon.

Fel yn y cwpled hwn gan fardd anhysbys, afon ddywedwn ni am y rhimyn dŵr sy'n gwahanu Ynys Môn oddi wrth y tir mawr, ond culfor yw'r incil troellog yma, neu 'gaingc o fôr' fel y disgrifiodd Thomas Parry y Fenai yn ei ddrama *Llywelyn Fawr*. Fe ddown yn ôl at Lywelyn a Siwan ym mhen arall 'yr afon', ond mae'r daith yn cychwyn yn y pen gorllewinol. Yr arwydd cyntaf o'r môr yw bwi coch a'r llythrennau M. B. arno mewn gwyn. Dyma fwi y Mussel Bank filltir go lew y tu allan i Abermenai, a Sianel Gwŷr Nefyn oedd yr enw ar fap môr 1748 Lewis Morris, a oedd yn cyfeirio at y dŵr dwfn a arweiniai forwyr i geg yr afon.

Draw i'r chwith mae twyni Abermenai a Llanddwyn a thu hwnt i'r rheini ynys y cariadon, Ynys Llanddwyn a'i thŵr gwyn, ei rhes bythynnod, y groes dal ac adfeilion eglwys y santes.

Adeiladwyd y bythynnod gan Ymddiriedolaeth Harbwr Caernarfon ar gyfer peilotiaid i arwain llongau dros y bar i mewn i'r Fenai. Yma y byddai ceidwad y golau yn byw hefyd, ond daeth y cyfan i ben tua adeg yr Ail Ryfel Byd. Yn arwain o Landdwyn mae traeth hir sy'n dod â ni i Abermenai. Mae Tywyn Niwbwrch yn gefn i'r traeth ar y dechrau, ond buan iawn y daw'r twyni i ben gan adael tafod hir o dir yn ymwthio'n ddigywilydd i gulhau ceg yr afon, gan droi'n ôl arno'i hun a chreu pen fel bagal ffon. Pa ryfedd mai Southcrook oedd yr hen enw ar Abermenai, enw a ymddangosodd gyntaf yn 1304 yn ôl *Enwau Lleoedd Môn* Gwilym T. Jones a Tomos Roberts. Y tu ôl i gefnen fain Abermenai mae Traeth Melynog er mai Abermenai a welwch ar fapiau OS, a 'thywod Niwbwrch a'r Foryd yn disgleirio fel croen ebol melyn yn yr haul' a welai Kate Roberts o'i chartref wrth ddotio ar harddwch Môn a Menai.

Dewch i'r traeth ar ddistyll y llanw ac fe welwch pam fod 'melynog' cystal gair â dim i gyfleu ehangder tywod, ac i'r traeth yma y daw afon Braint yr holl ffordd o Fynydd Llwydiarth rhwng Pentraeth a Llanddona. Yn uwch i fyny'r afon mae rhyd arbennig o gerrig mawrion, adlais o'r dyddiau pan oedd trigolion pen yma'r ynys yn gweld Caernarfon fel y dref leol er gwaethaf rhwystr yr afon. Ar y cyrion mae doc preifat Plas Penrhyn a arferai fod ym meddiant Humphrey Owen a'i fab William, a oedd yn berchnogion llongau draw dros y dŵr yng Nghaernarfon. Ar ochr y tir mawr mae doc hefyd yn Belan, ger y gaer a adeiladwyd gan Thomas Wynn, Plas Glynllifon a Chwnstabl Castell Caernarfon i amddiffyn yr afon a'r dref rhag ymosodiad posib gan y Ffrancwyr yn ystod Rhyfeloedd Boni, yn niwedd y ddeunawfed ganrif a dechrau'r bedwared ganrif ar bymtheg. Bryd hynny hefyd roedd trigolion y glannau yn ofni rhaib llongau o America a oedd yn bygwth llongau a phorthladdoedd Ynys Prydain. Yn y cyfnod hwn cipiwyd dwy long rhwng Dulyn a Chaergybi gan herwlongwyr. Abermenai Barracks oedd yr enw gwreiddiol, ac roedd sôn mor bell yn ôl â theyrnasiad Harri VIII am greu amddiffynfa yn y fan hon. Bryd hynny, y Sbaenwyr oedd y bygythiad. Heddiw mae'r gaer yn cynnig llety hunanddarpar mewn chwech o dai neu fythynnod, ac mae'n lle ardderchog am benwythnos mewn llecyn diarffordd. Fe dreuliais fwy nag un Calan Ionawr yno yn cysgu'n hwyr, yn cerdded y glannau, yn bwyta'n dda ac yn cymdeithasu.

Y tu ôl i gadernid Caer Belan mae bae y Foryd. Bae sylweddol sy'n gartref i lawer o adar, yn arbennig rhydyddion, ac mae peth o'r tir gerllaw bellach yn rhan o warchodfa gan y Gymdeithas Gwarchod Adar. I'r bae yma, o Lyn Cwellyn a llethrau'r Wyddfa, y daw afon fy mhlentyndod, afon Gwyrfai. Mae nifer o eglwysi o fewn cyrraedd glannau'r Fenai, yr agosaf yma yw hen eglwys Llanfaglan, mewn gogoniant anghofiedig yng nghanol cae mawr o fewn golwg i'r dŵr. Lle rhyfeddol o braf yn enwedig yn hwyr ar brynhawn braf gaeafol a dim ond brigau llwm y coed rhyngoch a'r machlud. Ym mynedfa'r eglwys mae dwy garreg hynafol, o bosib yn dyddio o'r pumed neu'r chweched ganrif. Ar

Machlud dros y Foryd

y garreg uwchben y drws mae'r geiriau *Fili Lovernii Anatemori*, a 'Lovernii', o'r Frythoneg fe ddywedir, yw'r hen air am lwynog. Yn ôl y gwybodusion credir mai hwn yw'r cofnod ysgrifenedig hynaf yn Ynys Prydain sy'n cyfeirio at anifail.

Un o blith pedair o eglwysi hynafol sir Gaernarfon sydd yng ngofal Cymdeithas Cyfeillion yr Eglwysi Digyfaill yw Eglwys Sant Baglan neu'r Hen Eglwys, chwedl pobl Caernarfon. Ynyscynhaearn, Penmorfa a Phenllech yw'r lleill ac mae ugain o eglwysi ledled Cymru bellach yng ngofal y Gymdeithas.

Nid yw'r ffordd o'r eglwys ar hyd glan y môr draw i Gaernarfon a'i chastell mawreddog yn hir iawn. Cofiaf yn blentyn fod bws bach gwyn cwmni Whiteways yn rhedeg ar hyd y ffordd yma ac mae mynd am dro i 'South of France' o dan waliau'r castell a thros Bont 'Rabar yn dal i fod yn boblogaidd. O'r cyfeiriad yma neu o Fôn y gwelir y castell a adeiladwyd gan Edward I ar ei orau.

Yn 1900 yr adeiladwyd y bont gyntaf dros geg yr afon, pont-dro i ganiatáu i longau ddod at y cei a nwy yn gyrru'r peiriant i droi'r bont ar ei hechel a'i goleuo. Gyda dyfodiad y bont nid oedd

Cychod yn 'aros teit' ger Castell Caernarfon

angen cychwr i gario pobl yn ôl a blaen, ac o ganlyniad cafodd y cychwr iawndal o £7,000, a fyddai'n cyfateb i rywbeth tebyg i bedwar can mil o bunnau heddiw. Y cyfnod cyn codi'r bont oedd cyfnod Dafydd Pritchard, neu Dafydd 'Rabar, y mae cân amdano ef a'i gychod, cân y byddem yn hoff o'i chanu erstalwm yn y bws ar drip ysgol Sul.

Afon Seiont sy'n llifo heddiw fel erioed o dan y bont, ac oddi yma o'r Cei Llechi a adeiladwyd yn nechrau'r bedwaredd ganrif ar bymtheg yr allforiwyd miloedd o dunelli o lechi o chwareli Dyffryn Nantlle a'r cyffiniau. Mae llythyr anfonwyd ym mis Mawrth 1815 at Ardalydd Môn yn cyfeirio at glirio'r Maes Glas, sef Castle Green yn Saesneg neu'r Maes fel y'i gelwir heddiw, a gostwng ei lefel bum troedfedd i greu ffordd at y Cei. Y Maes yw canol y dref, er nad yw bwrlwm a phrysurdeb heddiw yn ddim o gymharu â'r hyn a gofiaf o'm dyddiau ysgol yno. Er mai Ysgol Syr Hugh Owen oedd ei henw swyddogol bryd hynny, fel y County School y cyfeirid ati, a hogia'r Cownti oeddan ni, dan orchymyn i wisgo cap. Pa ryfedd na fu gen i ddim i'w ddweud wrth gap byth wedyn? Hon, gyda llaw, oedd yr ysgol sir gyntaf yng Nghymru yn sgil Deddf Addysg 1889.

Sawl gwaith y bu rhedeg gwyllt ar draws y Maes i ddal y bws olaf, y bws deg ar nos Sadwrn, i osgoi pedair milltir o gerdded cyn cael noswylio? Yn y dyddiau hynny roedd cerdded 'rown-dre' ar nos Sadwrn yn ddefod i gannoedd o ieuenctid. O'r Maes, cerdded heibio Pen Deits i lawr Stryd y Plas, i'r dde ac o dan y Cloc Mawr i'r Clwt Mawn cyn dychwelyd i'r Maes ar hyd Lôn Bangor a'r Bont Bridd. Wedi cylchu felly sawl tro, newid cyfeiriad a mynd yn wrthdro i'r cloc er mwyn gwneud yn berffaith siŵr fod gennym syniad go lew pwy oedd 'lawr dre'.

Mae'r castell yn tra-arglwyddiaethu dros y dref, ond nid y castell a roes fodolaeth i'r hen le. Na, mae'n rhaid mynd yn ôl i ddyddiau'r Rhufeiniaid a Chaer Saint, un o'r godidocaf o gaerau'r goresgynwyr a'i holion i'w gweld o hyd ar y ffordd tua Waunfawr, ond hyd yn oed cyn hynny gwelsai rhywrai bwysigrwydd y safle yma lle'r oedd afon Saint yn ymuno â'r Fenai. Ar ben Twtil roedd caer a oedd yn hen pan gyrhaeddodd y Rhufeiniaid a Macsen Wledig yr ardal. O ben y bryncyn creigiog yma mae golygfeydd gorau'r dref ac o'r llecyn hwn hefyd y mae gwerthfawrogi tegwch Abermenai a'r Traeth Gwyllt, yr erwau lawer o dywod melyn rhwng Caernarfon a Thal-y-foel yr ochr draw.

Dyna lwybr un fferi i Fôn. Bu afon Menai yn rhwystr mawr i deithwyr hyd at yn gymharol ddiweddar ac roedd sawl fferi yn croesi'r culfor mewn sawl lle. Roedd dwy o Gaernarfon, un i Abermenai a'r llall i Dal-y-foel, un arall rhwng y Felinheli a Moel y Don, a thair wedyn yn croesi o ochrau Bangor i Borthaethwy, un bwysig o'r Garth a Phier Bangor i ble mae gwesty'r Gazelle ger Llandegfan heddiw ac un arall i Fiwmares, heb anghofio fod rhyw ddwy awr ar gael bob ochr i ddistyll er mwyn croesi Traeth Lafan a chael fferi i Lan-faes ganrifoedd yn ôl neu i Fiwmares yn ddiweddarach.

Yn 1826 y cwblhawyd pont Thomas Telford er mwyn i'r byd anfon 'ei gerbydau drosti'. Cyn hynny, trafferthus i ddyn ac anifail, a dweud y lleiaf, oedd mynd o'r naill lan i'r llall. Culni'r Fenai ym Mhorthaethwy a wnaeth y safle'n un delfrydol ar gyfer y bont grog, a'r ffaith fod ynys yn yr afon a'i gwnaeth yn haws i Robert Stephenson adeiladu Pont y Tiwb i gario'r rheilffordd. Yr enw ar y map am y graig sy'n sylfaen i golofn ganol y bont yw 'Britannia Rock', a dyna pam y'i glawyd yn Bont Britannia, ond yr hen enw ar fap swyddogol adeg codi'r bont yw Carreg Frydan (yn adlewyrchu fod y dŵr ar lanw a thrai yn ffrydio'n fyrlymus o'i chwmpas) a dyna'r enw yn ôl y diweddar Gapten Gwyn Pari Huws oedd gan Lewis Morris mewn nodiadau yn 1748. Hawdd wedyn yn Oes Fictoria oedd i 'Frydan; fynd yn 'Brydain' a 'Britannia'. Mae'r enw cyfarwydd lleol, Pont y Tiwb, yn cyfeirio at y tiwbiau anferth a oedd yn cario'r rheilffordd dros y dŵr yn y cynllun gwreiddiol pan adeiladwyd hi yn 1850, ond

pan adnewyddwyd y bont wedi'r tân mawr a'i difrododd yn 1970 rhoddwyd ffordd i gerbydau uwchben y cledrau. Erbyn heddiw mae cwyno cyson nad yw dwy bont yn ddigon i gario'r holl drafnidiaeth.

Yn y cwta filltir o afon rhwng y ddwy bont mae Pwll Ceris, un o fannau peryclaf y Fenai, er bod 'The Swellies', yr enw Saesneg, yn cyfleu'n well drybestod a chyflymder byrlymus y dŵr yn y fan yma. Yn ôl y siart forwrol, llwybr cul iawn sydd i gychod a llongau trwy'r pwll; mae gofyn cadw'n weddol glòs at ochr y tir mawr yr holl ffordd rhwng y pontydd er mwyn osgoi'r Cribiniau a Charreg y Pwll, ond heb fynd yn rhy agos at y glannau creigiog a'r Platters a ddaliodd ac a dorrodd asgwrn cefn HMS *Conway* y llong hyfforddi a symudwyd o afon Merswy i ddiogelwch cymharol afon Menai adeg yr Ail Ryfel Byd.

Mae'n hawdd cymryd pethau'n ganiataol, ac mewn perthynas ag afon Menai, a'r rhan hon yn arbennig mae hynny'n bosib ar ddau gyfrif. Yn gyntaf, hawdd yw diystyru'r gamp o godi'r pontydd hardd heb gofio'r cynllunio a'r ymdrech. Mae un o dyrau'r ail bont yn codi 221 troedfedd i'r awyr, roedd pob un o'r pedwar tiwb yn pwyso 1,800 tunnell ac fe ddefnyddiwyd dros ddwy filiwn o rybedion i adeiladu'r bont gyfan. Roedd angen arnofio'r tiwbiau ar ddau bontŵn yr un, eu lleoli'n berffaith cyn eu codi fesul chwe throedfedd i'w lle. Defnyddiwyd ergydion gynnau a baneri lliw i gael pawb i gydsymud yn y gwaith cymhleth a manwl o leoli'r darnau, ac yn yr ymdrechion cyntaf collwyd rheolaeth ar bontynau un o'r tiwbiau a bu hwnnw, a'r dynion oedd arno, ar drugaredd y cerrynt nes iddo ddod o dan reolaeth tua'r Felinheli. Maen nhw'n bontydd rhyfeddol ac yn gofadail deilwng i grefft a dyfeisgarwch, dycnwch a dewrder nifer fawr o ddynion a wireddodd freuddwydion a chynlluniau Stephenson a Telford i greu dau linyn bogail er mwyn cydio'r fam wrth ei phlentyn, i uno Môn â Chymru.

Ac yn ail, ar ddyddiau tawel braf 'does unman tebyg i Bwll Ceris a'i ddŵr llyfn yn gynfas i goed y glannau a'r pontydd, a'r greadigaeth fel pe bai'n dal ei gwynt. Ond ar ddyddiau stormus a dyfroedd yr afon ar ruthr, dyma un o'r mannau peryclaf un.

Ni ddylid gadael ardal y ddwy bont heb gyfeirio at ddwy ynys. Mae Gorad Goch â'i hadeiladau gwyngalchog a'r gored dal pysgod yn bictiwr o ynys yng nghanol y lli. Ar lanw uchel mae'n ymddangos fel pe bai'r adeiladau'n nofio ar y dŵr, ond gan fod

Y Fenai a chip ar Ynys Môn o Gaernarfon

Pont Britannia

hyd at chwe metr o wahaniaeth rhwng y distyll isaf un a thop gorllan', 'does ryfedd fod yr ynys yn crebachu'n ddim ar adegau. Draw yng nghesail y bae ar ochr Môn mae Ynys Llandysilio a'i heglwys, a llwybr cadarn dros y sarn yn ei chysylltu erbyn hyn â'r tir fel bod modd mynd yno unrhyw adeg. Yma y gorwedd Cynan, y bardd a'r cyn-Archdderwydd a roes sglein ar ddefodau'r Eisteddfod Genedlaethol, ac yma ymhlith eraill mae beddrodau'r ddau bregethwr Methodist mawr, Henry Rees a Thomas Charles Edwards, ynghyd â'r hanesydd a golygydd cyntaf *Y Bywgraffiadur Cymreig*, John Edward Lloyd. Yma hefyd mae beddau rhai o deulu'r Davisiaid, teulu enwog am eu llongau masnach ym Mhorthaethwy. Adeilad carreg syml yw'r eglwys, ac yn ei symlrwydd y mae ei ogoniant, yna uwchlaw ar gopa'r ynys mae cofeb i laddedigion y rhyfeloedd.

Tu draw i'r pontydd wyneba Porthaethwy haul y bore. Roedd cysylltiad pwysig rhwng y dref hon a Lerpwl yn y gorffennol ac mae'r Liverpool Arms, un o dafarnau pwysicaf y lle, yn arddel y cysylltiad hyd heddiw. Y *Prince Madog*, llong ymchwil Ysgol Gwyddorau Eigion Prifysgol Bangor, yw'r unig gwch o bwys sydd â chysylltiad â Phorthaethwy bellach, ac fe'i gwelir yn aml yn gorwedd wrth ben pier y dref. A hithau bron yn ddeugain metr o hyd ac yn 390 tunnell, mae'n haeddu cael ei galw'n llong yn hytrach na chwch; dyma'r ail long i'r coleg ei phrynu, ac mae'n dwyn yr un enw â'r gyntaf. Gresyn na fyddai rhywun wedi'i bedyddio ag enw Cymraeg pan ddaeth i wasanaethu yn 2001. Gerllaw mae labordai'r Ysgol, sy'n un o ddwy yn holl brifysgolion Prydain sy'n ymwneud ag eigioneg.

Mae'r glannau yn y fan yma, Glannau Porthaethwy, yn Safle o Ddiddordeb Gwyddonol Arbennig diolch i'r cysgod sydd ganddynt rhag yr elfennau. Dyma, meddir, yw'r man mwyaf cysgodol o Enlli i Benygogarth. Mae'n ardal greigiog a niferus ei phyllau gydag amrywiaeth o laid a cherrig a gro i greu cynefinoedd cyfoethog. Dyma'r ardal orau o'i bath yng Nghymru o ran amrywiaeth ei rhywogaethau fel gwymon a môr-wiail, anemone, sbwng a delysg, ac mae'r llaid yn gyfoethog o bryfetach, mwydod a physgod cregyn.

Draw ar ochr ddwyreiniol yr afon i gyfeiriad Bangor, dacw Borthesgob a fu'n gartref am ganrifoedd lawer i Fferi'r Esgob a âi o'r llecyn hwn a Thrwyn y Garth ymhellach draw, i amryw fannau fel Cadnant, Porth Philip Ddu, Borthwen a chyn belled â Phenrhyn Safnes ger Biwmares. Daeth y tŷ ymhen amser yn hostel ieuenctid (Gored y Gut oedd yr ail hostel erioed i mi aros ynddi) cyn dod yn dŷ bwyta'r Water's Edge ac yna'n dŷ preifat. Gerllaw mae Nant y Porth. Daw Nantporth maes o law yn enwog fel enw cae pêl-droed newydd Clwb Pêl-droed Dinas Bangor, wrth iddo symud o Ffordd Farrar.

O'r fan yma draw mae natur yr afon yn newid yn llwyr, mae'n agor ac yn lledu a daw'r tywod a'r llaid sy'n ymestyn o Fangor i gyfeiriad Llanfairfechan i'r golwg – dyma Draeth Lafan, ac ar drai mae'r sianel o ddŵr dwfn yn un gul. Mae Pier Bangor yn ymestyn hanner ffordd yn union ar draws afon Menai, a phan adeiladwyd y pier yn 1896 a symud y fferi yno o'r Garth, nid oedd angen poeni am lanw na thrai i ddod â'r teithwyr i dir sych. Tu draw i'r Garth mae Bae Hirael, a Lôn Glan Môr a anfarwolwyd yn un o gerddi Iwan Llwyd, a dyma gysylltiad Bangor â'r môr. Draw eto i'r dde mae Porth Penrhyn, y trydydd o borthladdoedd y Fenai a fu mor allweddol i allforio'r garreg las o fynyddoedd Eryri. Aeth llechi o Gaernarfon, Y Felinheli a Phorth Penrhyn i doi adeiladau ar draws y byd. Ond mae'r prysurdeb mawr drosodd bellach a'r unig weithgarwch morwrol sy'n weddill yw ambell long pysgota cregyn gleision yn y Bae. Mae hyd yn oed Dickie's Boatyard wedi symud i Borth Penrhyn, ac yn lle'r gwynt yn chwibanu a'r rhaffau'n clecian ar y mastiau, mae Bangor i gael tai glan môr os nad marina! Un o ddiffygion mwyaf Bae Hirael a Phorth Penrhyn yw fod y cyfan yn sychu ddwywaith y dydd ac yn cyfyngu ar lawer o weithgarwch morwrol.

Dal i ddisgwyl am farina y mae Biwmares, ond er bod dyddiau'r fferïau wedi dod i ben ers llawer blwyddyn mae'n bosib dal cwch pleser oddi yno a theithio i gyfeiriad Ynys Seiriol, gwarchodwr pen gogleddol y Fenai. Ynys Lannog oedd yr hen enw ac mae Priestholm, yr hen enw Saesneg, yn cyfleu hanes yr ynys os nad ei natur yn well na Puffin Island. Dros amser diflannodd y mynachod ac felly hefyd y palod a'u pigau lliwgar o dan ormes haid o lygod mawr. Rai blynyddoedd yn ôl cafwyd cyrch brwd a phenderfynol yn eu herbyn a llwyddwyd i'w difa i gyd, felly mae gobaith y dychwel y palod i hawlio'u hynys. Hyd yn oed os daw'r palod yn ôl, ni welir yma eto fusnes mawr lle'r oedd yr adar yn cael eu piclo i'w bwyta.

Yn ei ddrama *Llywelyn Fawr* mae Thomas Parry yn sôn am ddwyn corff Siwan yn 1237 o'r llys brenhinol yn Abergwyngregyn i'w chladdu yn Llan-faes. 'Hir y coffawn heddwch ei hanadl olaf a'r bore oer yn Chwefror, pan aeth gosgordd drist ei gwedd dros Draeth Lafan a thros gaingc o fôr.' Mae arch y dywysoges heddiw yn Eglwys Biwmares, ond mae sawl stori gofiadwy am groesi Traeth Lafan, o Arfon i Fôn. Yn eu plith, Joseph Hucks a'i dri chyfaill, yng Ngorffennaf 1794, yn dod o fewn dim i golli eu bywydau. Cawsant eu dal gan y niwl a'r nos, ac oni bai fod y cychwr yn disgwyl amdanynt yr ochr draw fe fyddent fel sawl un arall wedi mynd yn aberth i'r môr a dygyfor digyfnewid llanw a thrai.

Ffrwyth dychymyg Thomas Parry a roes ritholwg i ni ar osgordd Siwan, ond mae llygad-dyst yn nodi i angladd John Elias, un o wŷr mawr y bedwaredd ganrif ar bymtheg, fod yn un cofiadwy iawn serch hynny. Ar ddydd ei gynhebrwng yn Llan-faes roedd 41 o gerbydau, 184 o wŷr meirch a thros ddeg mil o bobl ar droed. Ym Miwmares y diwrnod hwnnw yn 1841 gostyngwyd hyd yn oed baneri'r llongau oedd yn y bae 'er anrhydeddu'r brenin-bregethwr'. Hwn oedd y gŵr a 'bregethodd nes gwared glannau Môn rhag smyglo a llongddryllio, pregethu nes stopio gwaith melinau'r ynys ar y Saboth'.

Un bedd yn unig sy'n gwahanu gorffwysfa olaf John Elias yn Llan-faes a gorffwysfa olaf un arall o bregethwyr Môn, ac un o feibion glannau'r Fenai, sef John Williams, Brynsiencyn. Y gŵr yn ei goler gron a lifrai milwr a wnaeth gymaint i yrru gwŷr ifanc dechrau'r ugeinfed ganrif i ffosydd y Rhyfel Mawr, a 'does bosib nad atynt hwy yr oedd Emrys Edwards yn cyfeirio yn y llinellau, 'Cewri'r pulpud yn fudion, / Huodledd ym medd ym Môn'.

Mae i Fôn ddigon o gysylltiadau crefyddol ond nid oes un yn cymharu â Phenmon a'i briordy. Yr adeiladau a'r creiriau yw'r dystiolaeth, ond adlais hefyd o oes wahanol yw'r colomendy hynod sydd yno i'n hatgoffa heddiw fod sicrhau cyflenwad o fwyd, yn enwedig cig, fel yn hanes y palod ar yr ynys, yn fusnes difrifol. Ym Mhenmon – wrth edrych draw ar yr ynys a'i charreg galch, a'r goleudy ar Drwyn Du, ac, ar drai, y sarn o gerrig sy'n culhau'r swnt rhwng Môn a'i lloeren o ynys – y daw'r daith ar hyd y Fenai i ben. Un o'r darnau mwyaf hynod a hudolus ar y glannau Cymreig. Gyda chastell ar y naill ben a'r llall, yng Nghaernarfon a Biwmares, mae digon o dyrau; yr hyn sydd ei angen heddiw yw gwylwyr ar y tyrau hynny i ddiogelu ein treftadaeth ac ysblander y glannau rhyfeddol yma i'r cenedlaethau a ddaw.

Y Fenai a'r Eifl o lannau Môn

Penmaen-mawr

Yr A55 yn rhannu'r tir o'r môr, ger Penmaen-mawr

10 Y GOGLEDD-DDWYRAIN

O'r Creuddyn hyd Bont Sir y Fflint

Cestyll, pili-palod ac ysgolion Sul

Llandudno o Ben-y-gogarth

Mae trwyn o dir yn gwahanu arfordir y gogledd oddi wrth afon Menai, glannau Môn a gweddill Cymru. Y Creuddyn yw'r gwddf isel sy'n ymestyn draw i ddiweddu fel clamp o benrhyn carreg galch mawreddog ym Mhenygogarth. O'r fan yma gwelir un o olygfeydd gorau yr hyn sydd ar ôl o arfordir Cymru. Draw ar hyd y glannau i'r dwyrain mae'r Rhyl a Blackpool, mynyddoedd gogledd Lloegr ac Ynys Manaw, o'n hôl mae panorama i gyfeiriad Ynys Seiriol, Penmon ac afon Menai.

Mae'r daith ar hyd y rhan olaf o arfordir Cymru, serch hynny yn dechrau ar aber afon Conwy, afon a fu'n fwgan ac yn rhwystr i'r goresgynwyr a ddeuai o'r dwyrain yn y canrifoedd cynnar, ond sydd heddiw â thair pont yn ei chroesi yng Nghonwy a thwnnel dwbl i'w hosgoi yn gyfan gwbl. Er gwaethaf y rhwystrau aml i lif trafnidiaeth ffordd y glannau, mae teithio heddiw yn haws ac yn symlach nag y bu erioed o'r blaen.

Er mwyn gwerthfawrogi Conwy a rhan o'r glannau na chrybwyllwyd yn y bennod flaenorol fe awn i Gastell Degannwy – lle anghyfarwydd iawn i lawer o gymharu â'r castell diweddarach a adeiladwyd dros yr afon yng Nghonwy, sef un o gampweithiau niferus penseiri Edward I.

Bu castell neu ryw fath o amddiffynfa yma ar y ddau fryncyn creigiog uchel yn Negannwy o ddyddiau cynnar iawn. Roedd y Rhufeiniaid yn gyfarwydd â'r safle ac roedd castell o fath yma yn y chweched ganrif. Onid hwn oedd un o lysoedd Maelgwn Gwynedd, un o wŷr mawr y ganrif honno, a gladdwyd, gyda llaw, draw dros y dŵr ar Ynys Seiriol? Mae Gerallt Gymro yn 1191 yn sôn am y castell a oedd yno bryd hynny fel 'noble structure'.

Diflannodd castell Robert o Ruddlan, gŵr o dras Normanaidd, diolch i ymosodiadau didostur y Brenin John, ond bu eraill pwysicach yma wedyn, fel Llywelyn ap Iorwerth a ailadeiladodd y castell yn 1213. Yn ddiweddarach, yn hytrach nag ildio i'r Saeson, chwalodd meibion Llywelyn y castell rhag iddo gael ei feddiannu gan ddynion Harri III. Mae llythyr a oroesodd gan un o filwyr y brenin yn nodi lle mor druenus oedd yma a hwythau'n cysgodi mewn pebyll ac yn llwgu. Yr hyn a welwn yn bennaf heddiw yw adfeilion yr hyn a oedd yn gastell pur sylweddol a godwyd yn nheyrnasiad Harri III. Ond daeth machlud ar gyfnod y teyrn hwnnw diolch i Lywelyn ap Gruffudd a'i luoedd; oni bai am ei ymyrraeth ef, efallai y byddai mwy o ysblander y gorffennol i'w weld yn Negannwy. Pan lwyddodd milwyr Edward I yn 1277 i gael y llaw uchaf ar ogledd Cymru penderfynodd y brenin fod lleoliad presennol Castell Conwy yn amgenach llecyn a daeth mil a mwy o flynyddoedd o fyw ar y ddau gopa yn Negannwy i ben. Serch hynny, mae'r ychydig sy'n weddill yma ac acw heddiw o adfeilion y gorffennol yn ddigon i brofi pwysigrwydd y safle.

Heddiw, godidowgrwydd y golygfeydd yw'r atyniad i ddringo'r bryniau ac mae sefyll yn wynebu'r de yn dangos yr aber yn ei holl ogoniant. Obry mae dwsinau o dai mawr moethus mewn gerddi aeddfed coediog a'u toeau teils cochion yn adlewyrchu cynhesrwydd yr haul ar fore o Fai. Mae rhannau o'r llethrau dan eithin a sawl draenen wen wyryfol yn torri ar unffurfiaeth eu haur. Mae marina newydd Conwy, ei westy, ei dai a'i gychod hefyd yn amlwg, ond perthyn eu pensaernïaeth i oes wahanol i'r castell mawreddog draw yr ochr arall i'r afon, a godwyd i gynlluniau 'Master James of St George' mewn cwta bedair blynedd a hanner yn wythdegau'r drydedd ganrif ar ddeg. Roedd y gost yn bymtheg mil o bunnoedd, y swm mwyaf a wariwyd ar unrhyw un o gestyll Edward, ac yn cyfateb fwy neu lai i ryw chwe miliwn o bunnoedd yn ein hamser ni, er na chaem hanner castell am arian felly'r dyddiau hyn.

Mae'r seiliau ar graig sy'n ymwthio i'r afon, ar safle hawdd ei amddiffyn er iddo syrthio i luoedd Owain Glyndŵr yn ystod y Gwrthryfel, ac i ddwylo milwyr y Pengryniaid yn ystod y Rhyfel Cartref ddwy ganrif yn ddiweddarach.

Aber afon Conwy'n denu yn yr haul

Trueni fod y tair pont sy'n croesi'r afon ger y castell mor agos ato, ac eto prin fod dim i darfu ar ei hynodrwydd tyrog ac ar y dref fechan a dyfodd gerllaw yng nghorlan ei furiau cysgodol. Dywedir mai Conwy a'i chastell yw'r harddaf a'r fwyaf cyflawn o holl drefi caerog yr ynysoedd hyn. Mae'r dref efallai yn rhy gyfarwydd i lawer ohonom ni i'w gwir werthfawrogi, ond mewn gwlad arall byddem yn dotio ati ac yn canu ei chlodydd yn ddi-baid gan annog eraill, wedi dychwelyd adref, i fynd yno.

Yng Nghonwy ei hun y cei yw un o'r llefydd brafiaf ac wedi cerdded tipyn ar strydoedd prysur y dref, pleser yw mynd trwy'r Porth Isaf ac i'r cei ar lan yr afon. Mae yno ryw brysurdeb braf a golygfeydd hyfryd dros yr afon a'r cychod yn ôl i gyfeiriad Degannwy a'r Creuddyn. Mae rhai'n dal i bysgota am gregyn gleision yn ystod y tymor o Fedi i Ebrill, yr hen ddull oedd defnyddio cribiniau a choesau hyd at ugain troedfedd o hyd i gyrraedd y gwelyau oedd wastad o dan ddŵr.

Un o'r atyniadau mawr yw 'tŷ lleiaf Prydain', ac yn amlach na pheidio, ar gyfnodau prysur, bydd rhes o ymwelwyr yn disgwyl i wasgu i mewn iddo. Ond perlau pensaernïol y dref yw Tŷ Aberconwy a'r Plas Mawr, y naill o'r bedwaerdd ganrif ar ddeg a'r llall o ddiwedd yr unfed ganrif ar bymtheg. Mae'r dyddiad 1580 ynghyd â llythrennau blaen Richard Wynn, yr adeiladwyd y tŷ ar ei gyfer ef a'i wraig, mewn gwaith plastr ar un o waliau Plas Mawr, sydd, ers 1884, yn gartref i'r Academi Frenhinol Gymreig ar gyfer arlunwyr. Yma mae Oriel y Cambrian sy'n cynnal sawl arddangosfa nodedig bob blwyddyn, ac mae esiamplau eraill o waith plastr cerfiedig ar rai o'r muriau.

Yr Ymddiriedolaeth Genedlaethol sy'n fawr eu gofal am Dŷ Aberconwy, fel yn wir Pont Grog Telford. Dyma'r unig dŷ o fewn muriau'r dref i oroesi o'r Oesoedd Canol. Mae siop ar y llawr isaf ond mae gweddill ystafelloedd y tŷ wedi'u dodrefnu i adlewyrchu gwahanol gyfnodau. Nid yw'n annisgwyl felly fod sawl stori am ysbrydion yn crwydro'r hen gartrefi yma, yn enwedig Tŷ Aberconwy. Dywedir mai gwraig perchennog cyntaf y tŷ yw un ond mai gŵr yw'r llall a fu farw, yn ôl y sôn, ar ddiwrnod genedigaeth ei seithfed plentyn.

O safle castell Degannwy hefyd mae'n bosib gweld draw tuag at rai o gopaon Eryri a chofio fel y bu bwrlwm o fywyd ar y llethrau hyn ymhell cyn i'r Rhufeiniaid freuddwydio am ddod yma. Onid y Graig Lwyd uwch Penmaen-mawr oedd crud diwydiant? Cloddiwyd a masnachwyd cerrig o'r fan hon i bellafion Lloegr yn Oes Newydd y Cerrig. Roedd cymaint o alw am y garreg galed i wneud blaenau gwaywffyn a saethau, bwyeill ac arfau fel bod y chwarel gyntefig y drydedd bwysicaf ar Ynys Prydain yn ei dydd. 'Sheffield of the Stone Age' oedd un disgrifiad, gan faentumio bod y garreg ficrodiorit cyn bwysiced i'r oes honno â chyllyll dur Sheffield i'n hoes ni. Ond pwy tybed a ddarganfu'r graig a gweld ei gwerth, a sut wedyn y cloddiwyd y cerrig ac y trefnwyd i'w masnachu ar hyd ac ar led? Cwestiynau na chawn ni byth, mae'n debyg, atebion iddynt.

Ithfaen beth yn wahanol a ddenodd greigwyr i greu ponciau chwareli anferth Penmaen-mawr; cyn dyddiau tarmac a'r cryshio byddai setmyn yn cerfio'r graig yn 'sets' i arwynebu ffyrdd trefi a dinasoedd Cymru a Lloegr. Diflannodd y ceiau lle deuai'r llongau i gasglu llwythi, a ger Llanddulas yn unig bellach y gellir gweld llong wrth bier yn derbyn llwyth o gerrig.

I'r cyfeiriad arall o Ddegannwy mae'r Creuddyn a Llandudno, un o'r mwyaf poblogaidd os nad yr harddaf o'n trefi glan môr. Mae Llandudno yn dref ddau draeth, er mai'r bwa hir o draeth lle mae'r prom a'r gwestai a wêl y mwyafrif wrth ddod yma am y dydd neu am ychydig ddyddiau o wyliau. Traeth sy'n rhedeg ar dro rhwng dau benrhyn – rhwng Trwyn y Fuwch a'r Gogarth Mawr – rhwng dau ddigwyddiad hanesyddol.

Mewn ogof ar Drwyn y Fuwch, neu Riwledyn y bu teulu Robert Puw y Penrhyn, pabyddion selog yn y dyddiau pan oedd dilyn yr Hen Ffydd yn gyfystyr â theyrnfradwriaeth, yn argraffu pamffledi a llyfrau. Yma yn y dirgel yn un o ogofâu calchfaen y penrhyn yr argraffwyd *Y Drych Cristionogawl* a baratowyd gan Gruffydd Robert, Milan yn ystod oes Elisabeth I.

Cloddio am gopr yw'r digwyddiad hanesyddol o bwys ar y Gogarth, gan i hynny ddigwydd gyntaf bedair mil o flynyddoedd yn ôl, ac yn gymharol ddiweddar y sylweddolwyd hynny. Roedd digon o dystiolaeth fod cloddio am fwynau wedi digwydd yma rhwng 1692 ac 1880, ond wrth glirio tomennydd o wastraff y gwaith gan feddwl creu maes parcio yn 1987 y cafwyd hyd i'r hen hen weithfeydd a sylweddoli beth oedd eu hoed, eu maint a'u gwerth hanesyddol.

Mae'n debyg fod y garreg galch wedi bod yn gymharol hawdd ei chloddio i ddilyn y mwyn ac nad oedd perygl y byddai cwymp yn claddu'r gweithwyr. Ond tair a phedair mil o flynyddoedd yn ôl, a'r gweithwyr yn defnyddio arfau cyntefig ac yn llosgi'r garreg i'w malu'n chwilfriw, ni fyddai'r gwaith wedi bod yn rhwydd o bell ffordd, a tybed na ddefnyddiwyd plant i ddilyn y gwythiennau cul o fwyn? Dim ond yn gymharol ddiweddar trwy'r cydweithio rhwng archaeolegwyr, peirianwyr ac ogofawyr y sylweddolwyd hyd a lled y gweithfeydd cynnar. Bellach symudwyd dros gan mil o dunelli o wastraff y gweithfeydd diweddarach i ddatgelu ardal o 25 metr wrth 45 metr o hen weithfeydd yr Oes Efydd, a mapiwyd cymaint â chwe chilometr o dwneli. Yn ôl un amcangyfrif gallai hyd at ddeg cilometr arall fod heb eu darganfod, a hynny yng nghesail y Gogarth o fewn tafliad carreg i Frenhines Glannau'r Gogledd fel y mae hyrwyddwyr y dref yn mynnu galw Llandudno.

O'r Oesoedd Canol ymlaen codwyd sawl plasty gan sawl teulu bonheddig, ond y pwysicaf o ran gadael eu marc ar heddiw oedd teulu Mostyn. I Edward Mostyn, Gloddaith a'i bensaer o Gymro, Owen Williams, y mae'r diolch fod Llandudno yn dref dwt, daclus a hynod atyniadol. Tref ddigon Seisnig hefyd, ond tref a gadwodd ei chymeriad diolch i reolaeth Stad Mostyn, a pha ryfedd o gofio iddi gael ei chodi'n unswydd i ddenu ymwelwyr ar ôl adeiladu'r rheilffordd o Gaer yn 1849?

Ond byddem ar fai yn troi cefn ar y Gogarth er cymaint atyniadau'r strydoedd a'u siopau. Mae sawl ffordd i'r copa ac os nad yw cerdded yn apelio, mae tri dewis arall o leiaf. Mae'n bosib gyrru mewn car, teithio ar dram neu gael eich codi mewn car-awyr-ar-wifren. Yn sgil y ddau ddatblygiad olaf daeth adeiladau yn frech ar y copa, ond o ddewis gallwn eu hosgoi a mynd i chwilio efallai am ddwy isrywogaeth o löynnod byw sy'n gyfyngedig i'r mynydd. Y gweirlöyn llwyd a'i guddliw perffaith ac un o'r glöynnod bychan glas, y glesyn serennog – y ddau, fe ddywedir, ar eu hadain ynghynt ar y Gogarth na'u cefndryd mewn mannau eraill, a hynny er mwyn manteisio ar y ffaith fod y tymor yma'n gynharach.

Mae un goeden sy'n tyfu yma, ac yma yn unig, er gwaethaf y geifr Cashmir lled-wyllt. Dyma unig gynefin y goeden lorweddol brin, creigafal y Gogarth neu *cotoneaster integerrimus*, nad yw'n hawdd ei darganfod mewn cilfachau cudd.

Yn nyddiau fy mhlentyndod, yn hytrach na mynd i'r Rhyl fel y mwyafrif, byddai'n capel ni'n amrywio'r ymweliadau rhwng Bae Colwyn, Y Rhyl a Llandudno. Y Rhyl oedd y ffefryn o bell ffordd oherwydd y Marine Lake a'r ffair gerllaw, a fyddai'n sicrhau fod pob ceiniog wedi'i gwario cyn troi am adref yn lluddedig. Heddiw mae Llandudno a Bae Colwyn yn fwy at ddant gŵr a welodd fwy o flynyddoedd nag sydd ganddo ar ôl!

Wyddwn i fawr ddim am Fae Colwyn bryd hynny, a diddorol oedd darllen yn ddiweddar mai yn ddamweiniol bron y crëwyd y dref. Amharodrwydd perchnogion stadau sylweddol fel Gwrych, Cinmel a Phentre-mawr i werthu rhai o'u tiroedd yn ardal Abergele a yrrodd ddatblygwyr y cyfnod i chwilio ymhellach i'r gorllewin. Roedd y rheilffordd newydd ar hyd y glannau wedi gwneud teithio'n haws, ac ar yr union amser priodol daeth stad

Graffiti cerrig ar ben y Gogarth

Ychydig o hwyl yn Y Rhyl

Pwll Crochan ar y farchnad. Fe'i prynwyd yn 1865 gan yr Albanwr John Pender, a fu hefyd yn flaengar o ran datblygu cysylltiad teleffon ar draws yr Iwerydd, y Transatlantic Cable yn 1866, a fo ddechreuodd adeiladu'r hyn a welwn heddiw cyn iddo werthu'r tir wedyn i gwmni arall, a dyna pryd y daeth Colwyn Bay yn enw ar y lle. Yn ddiweddar cefais y pleser o fod yn bresennol mewn cyfarfod a drefnwyd gan Grŵp Treftadaeth y dref i gyhoeddi taflenni teithiau cerdded a gwefan ar hanes y Bae.

Ymhellach i'r dwyrain mae natur y wlad yn newid ac am filltiroedd ar hyd y glannau wele feysydd carafannau a theios parhaol di-ben-draw. Mae ambell i safle dymunol, ond ar y cyfan prin fod lle i anadlu rhwng y preswylfeydd sydd yno haf a gaeaf.

O'r braidd y gellid galw Abergele yn dref glan môr, i Ben-sarn y mae'r disgrifiad hwnnw'n perthyn ac unwaith, ar Sadwrn oer o aeaf, cefais fy synnu gan nifer y cerddwyr a'r beicwyr oedd ar y prom. Ym Mhen-sarn mae'r Pantri Bach, yr unig gaffi ag enw Cymraeg a welais ar y glannau hyn, er ei fod y diwrnod hwnnw, fel y siopau bach, ar gau. O Landdulas heibio i Ben-sarn a draw ymhell i'r dwyrain mae'r tywod melyn yn ddi-dor. Mae mymryn bach o dwyni tywod ar ôl ym Mae Cinmel lle mae gwarchodfa natur leol gan Gyngor Bwrdeistref Sirol Conwy, ac yma ymhlith amryw o blanhigion arfor y tyf y peiswellt brwynddail, gweiryn prin eithriadol sy'n gyfyngedig i fawr mwy na rhyw hanner dwsin o safleoedd yng Nghymru. Ar y twyni prin dywedir bod yr ehedydd yn dal i nythu, ond 'does yma ddim heddiw ond ambell frân a gwylan neu ddwy yn herio'r gwynt. Dyma, yn ddi-os, yw un o'r mannau gorau ar lannau'r gogledd i ddefnyddio barcud neu barasiwt mawr i wibio ar fwrdd dros y tonnau. Daw'r ewynwyr brwd o bell ac agos, y mwyafrif o ardal Caer a gogledd-orllewin Lloegr. Yn y gaeaf maent yn dod am y dydd yn unig, ar y Sadwrn neu'r Sul, gan obeithio am awr neu ddwy o herio'r elfennau cyn i'r oerfel eu trechu. Os nad yw'r gwynt o'r cyfeiriad iawn, y traethau nesaf posib fyddai Niwbwrch ym Môn neu'r Greigddu ger Morfa Bychan, ond Cinmel ydy'r ffefryn os yw'r gwynt yn iawn yn ôl rhai y bûm i'n sgwrsio â nhw.

Ar y gwastadeddau tu ôl i Dowyn a Bae Cinmel mae Morfa Rhuddlan. Yno yn y flwyddyn 796 bu brwydr fawr pan drechwyd y Cymry. Portreadwyd yr oriau galarus wedi'r frwydr sawl tro yn

Tyrbeini gwynt a llwyfannau nwy oddi ar yr arfordir ger Prestatyn

y blynyddoedd diwethaf ar lwyfannau'r Eisteddfod Genedlaethol gan ferch unig yn chwilio am ei chymar mewn dawns stepio – dawns araf atgofus i oslef alaw bruddglwyfus 'Morfa Rhuddlan'. Tybed nad y frwydr honno a roes ei enw i Dir Prins, y trac trotian ceffylau gerllaw?

Meca'r tripiau ysgol Sul pan oeddwn i'n fachgen oedd y Rhyl. Roedd y tripiau hyn yn un o uchelwyliau'r flwyddyn, bron mor ddeniadol â'r Nadolig. Taith ar fws a'r syndod blynyddol fod y fath gerbyd yn medru gwasgu trwy byrth cul Pont Conwy, ac wedyn diwrnod hir o chwarae ar y traeth, bwyta platiad o ginio mewn caffi, roedd hynny ynddo'i hun yn anghyffredin i fachgen yn y pumdegau, gan dreulio diwedd y dydd yn y Marine Lake, ar y llyn ac yn y ffair ac ar y reids, cyn anelu am 'fish and chips' a throi am adref. Y pocedi'n wag a'r dyddiau nesaf yn wefr o ail-fyw profiadau hwyliog diwrnod y trip.

Bûm ym Mhafiliwn y Rhyl sawl tro, a'r tro diwethaf oedd i weld perfformiad o'r opera *Hywel a Blodwen* gan Joseph Parry – noson amheuthun ymhlith yr ychydig gyflwyniadau Cymraeg a geir yno, yn y cwt melyn a'r streipen goch a glas.

Y tro olaf i mi fod yn y dref roedd hi'n ganol gaeaf, y stryd fawr yn llawn siopwyr, ond y prom yn wag ac eithrio dwsin o hogiau ar sgwteri yn y parc bychan i sglefrfyrddwyr. Pob caffi a siop ar gau a'r cloriau dros y ffenestri yn cael eu 'sgytian yn swnllyd gan y gwynt; ond roedd llais cyhoeddwr y bingo yno fel erioed a 'holl ddeniadau cnawd a byd' ar bnawn Sadwrn o Ionawr wedi'u cyfyngu i beiriannau ceiniogau, lladron unfraich a bingo. Nid yn aml y gwêl y Rhyl eira, ond ar ddiwrnod sych gaeafol mae'r tywod melyn yn wrymiau ar hyd Ffordd y Prom ac yn lluwchio'n dwyni bychain i gorneli a drysau siopau.

Mor wahanol i'r Rhyl ar ddiwrnod braf, yr haul yn boeth ar y traethau eang, a bwrlwm atyniadau'r dref yn porthi dyheadau'r miloedd sy'n tyrru yno.

Pen eithaf yr hirdraeth a man mwyaf gogleddol tir mawr Cymru yw Trwyn Talacre lle mae goleudy gwyn â chapan coch yn sefyll fel milwr ar y traeth. Nid nepell o'r fan hon roedd glofa'r Parlwr Du a gaewyd yn 1996. Byddai'r glowyr yn teithio i weithio am filltir a mwy o dan y môr er mwyn codi'r glo i'r wyneb. Fe ddisgrifiwyd y pwll gan gyn-weithwyr fel pwll hapus a phwll Cymreig, a gwelais ddyfynnu un cyn-löwr a ddywedodd iddo ddysgu siarad Cymraeg yn y pwll am fod y dynion hŷn yn gwrthod siarad Saesneg ag ef. Heddiw 'does dim gêr ar ben y pwll na chlapyn o lo nac arlliw fod pwll wedi bod yma unwaith. Mae'r safle bellach yn derbyn nwy i'r lan o'r Môr Celtaidd a draw allan yn y môr mae amryw o felinau gwynt. Felly, rhwng y gwynt, y glo a'r nwy mae'r gornel hon o Gymru wedi bod yn bwysig ac yn dal yn bwysig o ran yr ynni a gymerwn mor ganiataol. O Harbwr Mostyn yng nghysgod yr aber y gwasanaethir y melinau, ac mae tri chlwstwr ohonynt; Gwastadeddau Rhyl, Gwynt y Môr a North Hoyle yn bur agos. Yno unwaith y gwelais un o'r craeniau symudol mwyaf i mi ei weld erioed, ac yma i'w trosglwyddo o ysgraff *Afon Dyfrdwy* er mwyn cludo ar long i Toulouse yn ne Ffrainc y daw adenydd y Bws Awyr Ewropeaidd o ffatri Airbus bymtheg milltir i ffwrdd ym Mrychdyn.

Ar Dwyni Tywod Gronant a Thalacre mae gwarchodfa natur bwysig. Mae'r twyni'n fwrlwm o adar yn y gwanwyn a'r haf, ond brenhines y lle yw'r fôr-wennol fechan ac mae'n bleser gwylio'u hedfan a'u plymio gosgeiddig. Gwarchodir nythod y môr-wenoliaid ddydd a nos yn ystod y tymor nythu gan griw o wirfoddolwyr, ond hyd yn oed wedyn ni ddaw llwyddiant bob tro.

Codwyd y goleudy i nodi mynedfa aber afon Dyfrdwy. Yma mae'r arfordir yn troi tua'r de-ddwyrain ac ar drai daw'r eangderau o dywod melyn a'r gwelyau o laid i'r golwg. Mae rhywun yn rhywle wedi amcangyfrif fod degau lawer o filoedd, cymaint â 130,000 o rydyddion, adar hirgoes y glannau, yn dod yma i aeafu'n flynyddol. Y mwyaf niferus yw pibydd yr aber. 'Codant, blodeuant o'r dŵr' meddai Euros Bowen am hwyaid

gwyllt Llyn Tegid, a dyna a ddigwydd yma hefyd wrth iddynt godi'n heidiau i droelli mewn undod perffaith gan fflachio'n olau a thywyll, yn wyn a du am yn ail yn heulwen hwyr y prynhawn. Cilio ymhell wedyn fel cwmwl o fwg cyn dychwelyd ac agosáu, a daw'r adar yn unigolion eto bob yn un yng nghanol yr haid o filoedd. Yna'n sydyn disgyn mewn lluwch o lwydni i fwydo yn y llaid neu'r corsydd wrth i'r nos ddynesu ac i oleuadau penrhyn Cilgwri ddeffro i noson arall. Ar hyd y glannau ceir glastraeth lle mae porfa las sy'n achlysurol foddi dan ddŵr penllanw. Rhed sianeli lleidiog yn igam-ogam fel gwythiennau tua'r dŵr gan greu llecynnau cudd cysgodol ac amheuthun i'r hwyaid a'r adar hirgoes hirbig fel y pibydd coesgoch i ridyllio a phicellu'r llaid.

Draw ymhellach mae Castell y Fflint, un arall o gestyll Edward I. Ond pam castell a thref yn y fan hon? Wel, am mai yma y cafodd hyd i'r unig ddarn solet o graig ar y glannau a fyddai'n sail i'w gastell. Fe'i cododd mewn llecyn tebyg i amryw o'r lleill, lle'r oedd modd dod atynt mewn llongau bychain, a Rhuddlan ar afon Clwyd yn eu plith. Flynyddoedd yn ddiweddarach, yn 1399, bu Richard II yn cerdded y muriau gan holi, yn ôl Shakespeare, beth fyddai ei dynged wrth weld lluoedd Henry Bolingbroke yn agosáu. Yr awgrym yw y rhoddai bopeth am fod yn ddi-nod. Ymhen dim roedd Henry, a alltudiwyd am ladd uchelwr, wedi hawlio'r goron ac yn olynu ei gefnder Richard fel Harri IV.

Dyma ni yn agosáu at ddiwedd y daith. Mae'r aber yn culhau ac o'n blaen, yr afon a gamlaswyd fel sawl un arall. Bwriad y gwaith yma oedd cael llongau i gyrraedd Caer, ond ddigwyddodd hynny ddim, diolch i gryfder gwrthwynebiad gwŷr dociau a harbwr Lerpwl a oedd am gadw'u monopoli.

Dechreuodd y daith wrth bontydd Hafren ac i mi mae'n gorffen ar bont newydd arall, pont Sir y Fflint. Mae'n nos erbyn hyn a thŵr unigol canol y bont wedi'i oleuo ynghyd â'r gwifrau trwchus sy'n dal y bont i ddau gyfeiriad. Pont fodern, hardd yw hi hefyd yn y gwyll goleuedig.

Os oes gen i un dymuniad, gweld mwy o bobl yn sylweddoli'r fath werth sydd i lefydd naturiol a chynefinoedd prin Cymru yw'r dymuniad hwnnw. Gobeithio y daw mwy i ddeall fod y mannau ar y glannau na ddatblygwyd yn adnodd pwysig i'w werthfawrogi, ei ddiogelu a'i drysori, ac i'w gadw mor naturiol â phosibl.

Ers cyhoeddi y byddai llwybr y glannau yn agor yn 2012 bu llawer o edrych ymlaen – 'does ond gobeithio y daw'r fenter ardderchog hon â phleser i laweroedd ynghyd â budd economaidd, oherwydd mae Cymru'n gyfan yma.

Un o'n hadar môr prinnaf ni, y forwennol fechan

Aros ei thro: gwylan yn Llandudno

Piod y Môr ger y Parlwr Du

Pont Sir y Fflint

Cymru ar Hyd ei Glannau

Diweddglo'r Ffotograffydd

Bwriad y llyfr hwn oedd taflu goleuni ar Gymru a Chymreictod drwy ddrych, neu brism, min y môr. Mae'r gyfrol yn ystyried holl agweddau'r arfordir. Yn ogystal â'r tirluniau naturiol syfrdanol y mae Cymru'n haeddiannol enwog amdanynt, fe chwiliwyd am ddeunydd a oedd yn anaddawol yn ei hanfod, a grëwyd gan ddyn. Byddai'n amhosibl gwneud cyfiawnder â'r testun heb fynd i'r afael â'r naill a'r llall. O ganlyniad, mae'r llyfr wedi datblygu'n ddogfen o'r testun dan sylw a hefyd yn archwiliad o'n perthynas ni â natur.

Profodd y ddwy flynedd y bûm i'n gweithio ar y ffotograffau hyn yn fordaith o ddarganfyddiad gwirioneddol. Mae arfordir Cymru tua 1,700 milltir o hyd, o gyfrif yr ynysoedd hefyd, ac felly ni allai fod yn ddim llai na hynny. Ond lawn mor gynhyrfus weithiau oedd sylweddoli fy mod wedi tynnu llun lleoliad cyfarwydd mewn ffordd anghyfarwydd.

Yn ystod fy ngwaith ar y llyfr, deuthum yn ymwybodol o'r term 'seicoddaearyddiaeth', ac fel un â gradd seicoleg ganddo a diddordeb ym mhob peth sy'n ymwneud â daearyddiaeth, cefais fy nghyfareddu. Ymddengys bod i'r gair gynifer o ystyron ag sydd yna o rai'n defnyddio'r term, gan gynnwys penseiri, anarchwyr, athronwyr ac awduron yn enwedig. Ond nid ffotograffwyr.

Un ffordd o ddistyllu ystyron niferus posibl y term seicoddaearyddwr fyddai 'awdur o grwydrwr trefol', ac fe ddisgrifiwyd yr awduron Will Self ac Iain Sinclair yn y dull hwn. Mae hyblygrwydd y term hefyd wedi caniatáu cynnwys yr awdur gwledig Alfred Watkins yn y *genre*, yn ogystal â'r cyfarwyddwr ffilm Patrick Keiller a fu'n gyfrifol am y drioleg 'Robinson'. Mae testun ei ddeunydd yn boliticaidd mewn ffordd dyner a chraff, ac yn gymysg o'r trefol a'r gwledig.

Mae un diffiniad o seicoddaearyddiaeth yn awgrymu ei fod yn astudiaeth o gyfarfyddiad pobl a lle, y modd y mae ein hamgylchfyd yn dylanwadu arnom ni a ninnau ar ein hamgylchfyd. Pwy well i ymgymryd â hyn na ffotograffydd? Er hynny, hyd y gwn i, ni chafodd y term ei ddefnyddio felly erioed.

Mewn adolygiad ar un o'm llyfrau blaenorol, nodwyd y gallai'r ffotograffau fod wedi cael eu tynnu gan nifer o ffotograffwyr gwahanol. Rwy'n cymryd nad fel canmoliaeth y dywedwyd hynny! Ond mae testunau gwahanol yn mynnu triniaeth wahanol. Yn y llyfr hwn mae rhai o'r delweddau wedi cael eu dal mewn ffordd strwythuredig iawn. Gan fy mod yn byw rhyw gan milltir i ffwrdd, byddai wedi profi'n amhosibl imi dynnu llun pysgotwyr aber afon Hafren neu'r hebog wrth domen sbwriel Lamby Way, er enghraifft, heb wneud trefniadau gyda phobl arbennig ar ddyddiad ac amser penodedig.

Ond yr oedd llawer o'r ffotograffau yn ganlyniad sodro fy hun i lawr mewn lleoliad arbennig ac yna edrych a cherdded.

Yn aml iawn byddai deunydd ffotograff da yn cyrraedd fy ymwybod drwy'r golwg ymylol (neu fan arall) wrth i'm meddwl grwydro. Byddai hyn, rwy'n teimlo, yn waith seicoddaearyddwr yn ffurf buraf y gair – ymateb uniongyrchol i amgylchiadau'r unigolyn.

Wedi dod o hyd i leoliad byddai weithiau'n angenrheidiol imi ddychwelyd ar adeg wahanol o'r dydd – neu'r flwyddyn – er mwyn ei ddal pan fyddai'r golau ar ei orau. Hwn fyddai *modus operandi* clasurol y ffotograffydd tirluniau. Ond mewn gwirionedd ychydig iawn o'r delweddau hyn fyddai'n gorffwys yn gysurus o fewn unrhyw un o'r tair ffordd hyn o weithredu ac y mae gan y mwyafrif o'r lluniau agweddau o ddwy neu'r cyfan o'u mewn.

A bod yn onest, rwyf wedi hen flino ar ddefnyddio'r term 'ffotograffydd tirlun' wrth fy nisgrifio fy hun, oherwydd ei fod wedi datblygu'n rhywfaint o gaethiwed arnaf. Erbyn hyn dim ond mathau arbennig o dirlun sy'n ymddangos yn dderbyniol – lleoedd gwyllt (neu o leiaf yn arwynebol wyllt), a goleuni'r 'awr euraid'. Mae mathau arbennig o offer, fel hidlydd tywyllu deg stop, lensys tra llydan, ac weithiau lefelau uchel o ystumio digidol yn ymddangos yn gwbl hanfodol. Mae'n bosibl bod lle i'r pethau hyn, wrth gwrs, ac mae'r canlyniadau yn aml yn eithriadol o hardd, ond tirluniau wedi eu delfrydu ydynt, lluniau tywydd teg.

Yn ystod y prosiect dechreuais weithio ar gynnwys testunol hollol newydd, yn cynnwys portreadau a bywyd gwyllt. Rhoddodd imi'r hyder yr oeddwn ei angen ar gyfer tynnu lluniau pobl. Ac er imi fod â diddordeb mewn bywyd gwyllt am gyn hired ag y bûm yn ymddiddori mewn ffotograffiaeth, nid wyf wedi ymdrechu o ddifrif i gyfuno'r ddau tan yn gymharol ddiweddar.

Ar nifer o achlysuron bywiogwyd fy mhrofiad o fod ar yr arfordir gydag ymweliad y frân goesgoch. Mae'r adar arbennig hyn fel petaent yn dod â man arbennig yn fyw trwy eu presenoldeb, ac yn wir, rhai lleoedd heb fod mor arbennig – mae ganddynt hoffter mawr o adeiladau a chwareli anghofiedig. Daeth y frân goesgoch yn symbol o arfordir Cymru i mi.

Jeremy Moore

Cydnabyddiaethau

Canlyniad gwahoddiad gan Mairwen Prys Jones yw'r llyfr hwn ac mae fy niolch iddi hi ac i Dylan Williams ac Elinor Wyn Reynolds a'i dilynodd yng Ngwasg Gomer yn fawr. Diolch am gadw'r ffydd. Diolch hefyd i Gyngor Cefn Gwlad Cymru a'r Prif Weithredwr, Roger Thomas, a welodd yn dda i gefnogi Jeremy Moore a fu'n tynnu lluniau'r gyfrol hon. Gyda'i lygaid craff fe welodd ef ogoniant mewn rhai pethau na welais i. Hoffwn hefyd ddiolch i Gyngor Llyfrau Cymru am y gefnogaeth a gefais i. Hoffwn gydnabod pob un a fu o gymorth mewn gair, gweithred ac awgrym wrth i mi grwydro'r glannau Cymreig ac ymchwilio i hanes a digwyddiadau gwahanol lecynnau, ond gwell ymatal rhag dechrau enwi! Diolch hefyd i gyd-fforddolion am bob sgwrs a chyfarchiad. Diolch i'm cyd-weithwyr ym Mangor ac Abertawe am hwyluso'r teithio, i'r teulu gartref am gael fy nhraed yn rhydd, ac yn olaf i'r llu o awduron a ysgrifennodd am Gymru a'i glannau ac a wnaeth yr ymchwil mor ddifyr. *DT*

Mae fy niolch yn arbennig i Dei Tomos sy'n gyfrifol am y testun ystyriol sy'n cyd-fynd â'r delweddau. Diolch i'r canlynol yng Ngwasg Gomer: Mairwen Prys Jones a'i holynydd Dylan Williams am eu ffydd yn y prosiect, tra bu Ceri Wyn Jones yn gymorth i dynnu'r gwahanol elfennau ynghyd. Ymhlith eraill y mae arnaf ddyled iddynt y mae Rebecca Ingleby Davies, mopublications, a'r sawl sydd â'u portreadau yn y llyfr hwn. Cefais gymorth Jonathan Hutchings a George Harvey o Gyngor Dinas Caerdydd a John Owens o'r Gwasanaethau Heboga; y pysgotwyr rhwyd *purse seine* Geraint Lewis a'i fab Jake, Glandyfi; Matt Richards, BAM Nuttall; Alastair Moralee; Sheelagh Hourahane; Nigel Nicholas, a Jane MacNamee. Bu llyfrau ffotograffig am arfordir Cymru o waith Andy Davies, Peter Watson ac Aled Rhys Hughes hefyd yn werthfawr iawn fel canllawiau ymchwil. Yn olaf hoffwn ddiolch i Roger Thomas a phawb yng Nghyngor Cefn Gwlad Cymru am eu brwdfrydedd a'r cyllido a fu'n fodd i'r prosiect hwn fynd yn ei flaen. *JM*

Llanddwyn, Ynys Môn

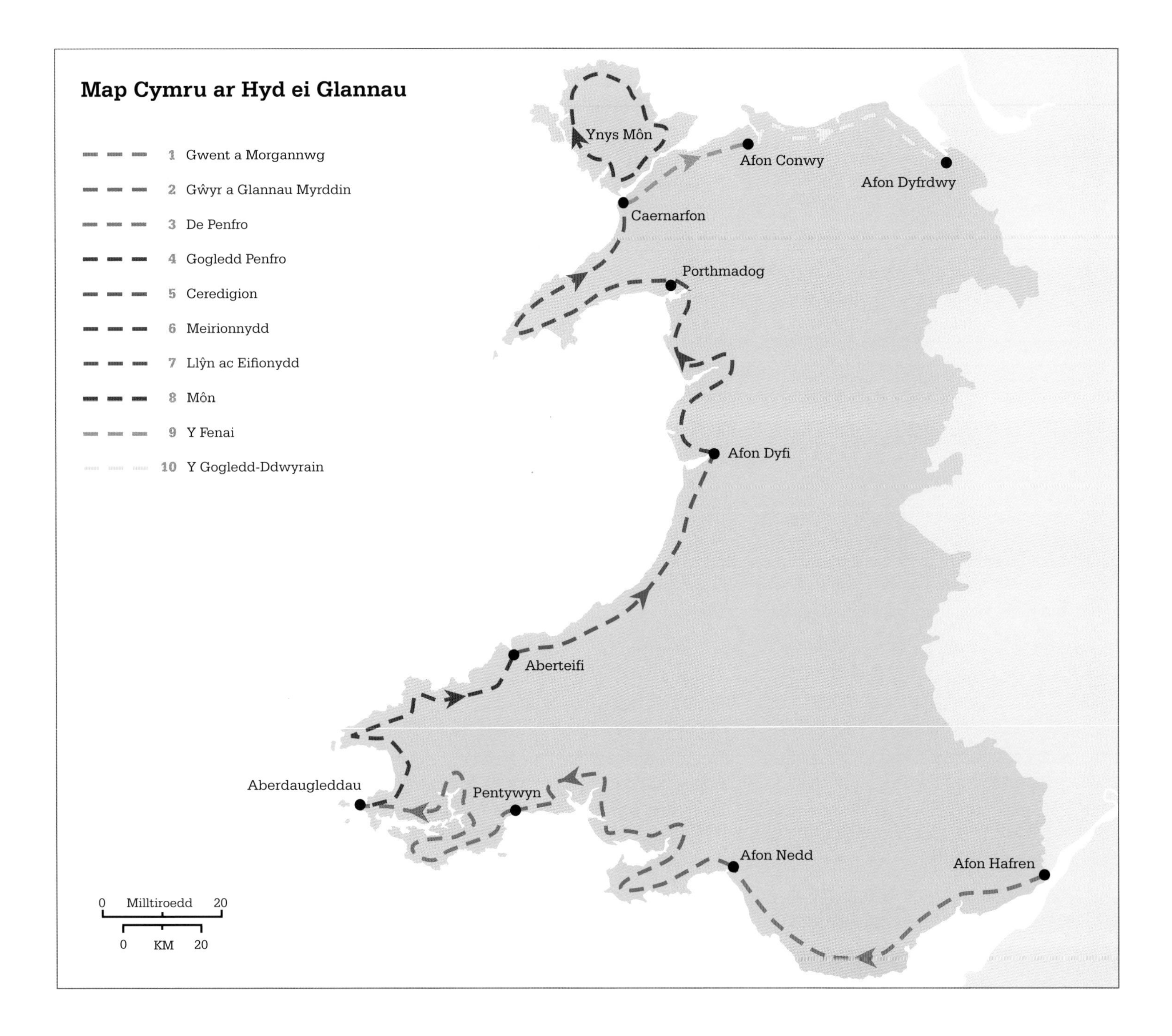

Map Cymru ar Hyd ei Glannau
1 Gwent a Morgannwg
2 Gŵyr a Glannau Myrddin
3 De Penfro
4 Gogledd Penfro
5 Ceredigion
6 Meirionnydd
7 Llŷn ac Eifionydd
8 Môn
9 Y Fenai
10 Y Gogledd-Ddwyrain
Ynys Môn
Afon Conwy
Afon Dyfrdwy
Caernarfon
Porthmadog
Afon Dyfi
Aberteifi
Aberdaugleddau
Pentywyn
Afon Nedd
Afon Hafren
0 Milltiroedd 20
0 KM 20

TALBOT LIBR RY
RMATION SER ES
49
73